MYKONOS

DE LA MÊME AUTEURE

Le rang du cosmonaute, Héliotrope, 2014.

Destin, Héliotrope, 2009.

Highwater, Héliotrope, 2006 ; Série P, 2018.

Olga Duhamel-Noyer

MYKONOS

HÉLIOTROPE

L'auteure a bénéficié d'une bourse du Conseil des Arts du Canada pour l'écriture de ce livre.

Maquette de couverture et photo : Antoine Fortin
Maquette intérieure et mise en page : Yolande Martel

Catalogage avant publication de Bibliothèque et Archives nationales du Québec et Bibliothèque et Archives Canada

Duhamel-Noyer, Olga, 1970-, auteur

Mykonos / Olga Duhamel-Noyer.

ISBN 978-2-924666-58-6

I. Titre.

PS8607.U376M94 2018   C843'.6   C2018-941112-0
PS9607.U376M94 2018

Dépôt légal : 3ᵉ trimestre 2018
Bibliothèque et Archives nationales du Québec

Héliotrope reconnaît l'appui financier du gouvernement du Canada. | Canada
Héliotrope remercie le Conseil des arts du Canada et la Société de développement des entreprises culturelles du Québec (SODEC) de leur soutien.
Héliotrope bénéficie du Programme de crédit d'impôt pour l'édition de livres du gouvernement du Québec, géré par la SODEC.

IMPRIMÉ AU CANADA

Pour Florence,
qui connaît bien le soleil trop fort
le long des côtes trop abruptes
que baignent des eaux trop salées

It's too late

DAVID BOWIE,
« Station to station »

Mercredi

Dans le bateau qui bouge, Pavel est immobile sur son siège. Il fixe la ligne d'horizon, regarde au loin, mais entre la ligne et lui, il y a une rambarde blanche qui remue sans arrêt au long des très grosses vagues. La mer qui était d'huile et turquoise avant de partir est devenue sombre au large. Il fait subitement froid et elle agite le bateau comme un vieux manège rouillé.

Pavel ne parle pas du tout grec en arrivant à Mykonos. En plus, la langue est murée dans un alphabet impénétrable, mais il connaît comme tout le monde pas mal de mots d'anglais. Le village paraît minuscule, les bateaux qui accostent ici sont plus gros que toutes les petites maisons blanches qu'il voit en descendant à terre. À deux heures sous le soleil, Pavel, Jules et Sebastian se laissent guider par Christopher qui a pris les choses en main. Le village blanc, la route, tout est surexposé quand Pavel sort du bateau. Des Américains tirent péniblement de lourdes valises à roulettes. Lui n'a presque rien. Un petit sac. Mais quand même, en plein soleil, la chaleur est terrible. Christopher suit des indications notées sur une feuille blanche qui l'aveugle. La trame des ruelles est incompréhensible. Il n'est venu qu'une fois ici, quand il était petit. Le bateau a beaucoup bougé tout à l'heure, dans les ruelles du village, il bouge encore sous les pieds de Pavel.

Christopher leur a dit que dans l'île l'eau du robinet était impropre à la consommation. Ils achètent de grandes bouteilles d'eau glacée, Sebastian prend aussi du Coca-Cola. À l'appart, l'odeur de renfermé est démoralisante, mais ils ne remarquent rien. Jules ouvre le minifrigo vide. Sur l'étagère de la kitchenette, il reste du café instantané et du sucre. Un grand placard muni d'une serrure contient des choses que l'oncle de Christopher ne veut pas partager avec les vacanciers quand il loue. Des bouteilles, des conserves et d'autres trucs à manger, des serviettes de plage, des palmes, des masques, des tubas, des films, des revues. Christopher ouvre le placard, son oncle lui a laissé la clé. Ils installent leurs affaires. Sebastian met de la musique.

Pour leur première journée à Mykonos, ils vont se baigner juste à côté. Ce serait trop compliqué sinon.

Ils ne se préoccupent pas de la propreté de l'eau des plages du village. Christopher aimerait les amener plus loin, le voyage les a cependant fatigués et l'inertie du groupe est toujours plus forte que la volonté individuelle. Ils nagent très bien tous les quatre, même s'ils ne sont pas très habitués de se baigner dans la mer. Ils ont pris des cours, enfants, à la piscine municipale. Pavel a même fait de la compétition, il a arrêté l'année dernière. Dans la mer, l'étendue d'eau semble infinie et les fonds ne sont pas lisses. Les vagues laissent des dépôts de sel. Nager à côté des façades blanches si près de l'eau les impressionne. En retournant sur la plage, Jules a marché sur quelque chose, un petit coquillage peut-être ou un morceau de verre pas entièrement poli encore par les vagues. Les autres continuent de se baigner alors qu'il examine sa coupure sur le sable. La blessure n'est pas profonde. Il y a des gens partout. À la terrasse des restaurants, les touristes sont nombreux.

Tout est un peu sale ici, mais ils n'y pensent pas. La plage du village, pourtant nettoyée chaque matin, est jonchée de mégots. Les bouteilles et les canettes vont directement à la poubelle et même directement au sol, dans le sable. Rien n'est recyclé. Sur les motos et les scooters, les gens portent rarement le casque. Entre le port du casque et le recyclage, il y a quelque chose de commun, même si Pavel ne saurait dire quoi exactement, et ce quelque chose va aussi avec le tabac. À partir de ces éléments, la pression de l'espace social sur eux se relâche. Les interdits s'éloignent. Les gens fument encore beaucoup ici. Pavel et les trois autres n'ont pas connu ce temps où l'on fumait partout, chez eux aussi.

Ils sont libres désormais dans leur famille. C'est une liberté toute neuve. Mykonos l'amplifie. L'étau se desserre. Ils ne savent pas exactement que faire de cette liberté nouvelle, mais ils ont le temps d'apprendre ce que veut dire perdre son temps. Pour l'instant, le temps, comme la mer, est infini.

Après la plage, ils se sont douchés longuement, puis habillés en écoutant de la musique. Ils ont posté des photos, mangé les Pringles grecs saveur d'origan de l'oncle de Christopher.

Ils viennent d'arriver et déjà ils se sentent différents de chez eux dans les rues de Mykonos Town, ainsi qu'a été renommé pour les touristes le plus gros village de l'île. Les Grecs l'appellent plutôt Hora, comme on nomme la plupart du temps, en Grèce, l'agglomération principale d'une île. Partout on peut manger des souvlakis à deux euros avec des bières. Les ruelles se remplissent, la foule est compacte. Depuis tout à l'heure, Sebastian boit plus que les autres. Il garde sa canette à la main. Ils s'arrêtent devant les boutiques de t-shirts, dont tous les modèles sont exposés sur le mur dehors. Le pictogramme des nouveaux mariés accompagné de la légende *Game Over* les fait rire. Il y en a beaucoup avec des légendes comiques et d'autres avec des dessins obscènes. Il y a surtout des t-shirts bleu grec avec *I Love Mykonos* dessus. Sur les cartes postales sont photographiés tantôt des pélicans, des moulins à vent, des ruelles blanches, tantôt de grandes femmes presque nues, aux seins volumineux, foulant le sable fin. Il y a aussi quelques cartes où l'on peut voir la statuette antique d'un satyre exhibant une verge énorme, gonflée, qui touche presque son visage souriant.

Dans les ruelles, les filles sont très bien habillées et bronzées. De grands Allemands bousculent Pavel sans le faire exprès. Un homme déguisé approximativement en clown vend des ballons mauves avec lesquels il fait des caniches à bicyclette, il tourne très vite dans un sens, puis dans l'autre les ballons à forme allongée. Les garçons s'empressent autour de lui, ne savent pas vraiment comment agir, sauf Christopher qui a plus d'aisance que les autres. Il donne un billet, serre la main du clown et prend le caniche mauve. Ce n'est pas tant qu'il veut être le centre d'attention. Il apprécie en revanche que les choses passent par lui. Et il aime ses amis. Il se sent bien entouré de Sebastian et Jules. Pavel est plus froid, mais il aime cette différence. Il ne déteste pas qu'il soit plus difficile à convaincre ou à amuser. Christopher leur a proposé de se rendre dans un bar dont lui a parlé son oncle. Ici et là de petits comptoirs proposent des lunettes de soleil aux tiges barrées de grandes lettres or ou argent : Dior, Versace, Gucci, Prada, Chanel. Toutes sont fausses. Les vraies marques sont dans les boutiques où il y a la climatisation. Ils essaient des lunettes de soleil. Sebastian aime celles à montures rouge et blanc, des fausses Carrera, avec *Carrera* qui brille sur la branche. Il ne penserait jamais à porter des lunettes comme ça chez lui, mais ici, c'est différent. Avec sa grande canette de bière à la main, il se sent bien, il respire. Christopher, qui continue de presser délicatement contre son torse le petit caniche mauve sur une bicyclette, marchande les lunettes de Sebastian à dix euros. Il a donné rendez-vous à une fille qu'il connaît un peu, Judy. Il a hâte de la revoir. Elle est à Mykonos aux mêmes dates qu'eux, c'est pour ça qu'il a pris le caniche à bicyclette. Il se dit que ça fera son effet. Sebastian garde les lunettes sur son nez et sa canette dans une main en extirpant de l'autre un billet du fond de sa poche. Ils s'arrêtent dans plusieurs commerces pour demander la direction du bar. Jules et Christopher fument. Pavel en a un peu marre de la foule, qu'il a l'impression de prendre à contre-courant depuis le magasin de t-shirts. Sebastian suit le beat quand ils croisent la musique des bars. Il hoche la tête, bouge les épaules, les Carrera sont maintenant posées sur le haut de sa tête. La musique puissante des discothèques habite les ruelles blanches. Les femmes sourient. Les hommes plaisantent. Les gens essaient des vêtements, des chapeaux, mangent des glaces, ont leur portable collé à l'oreille. Les commerçants fument avec à côté d'eux un verre de café frappé à demi vide, abandonné près du cendrier.

Christopher tient le caniche mauve contre lui, comme un vrai petit chien, quand il aperçoit Judy dans l'entrée du bar. On les voit se serrer dans les bras. L'endroit est vraiment beau : du côté de la mer, une terrasse avance au-dessus de l'eau. On surnomme cet endroit la Petite Venise. Pavel l'a lu dans le guide que sa grand-mère lui a offert. Les autres ne s'intéressent pas à ça.

Avec son survêtement Adidas orange et brillant, Jules ne passe pas inaperçu. Il est plus grand que les autres aussi. Ses cheveux noisette très ondulés et ses yeux clairs font que les gens, garçons ou filles, le regardent souvent en premier. Jules ne fait pas attention à cela. Maintenant, Christopher et Sebastian, Pavel aussi, le lui font souvent remarquer. C'est devenu une blague entre eux et leur complicité le réconforte. Même s'il est moins en chasse que Sebastian ou Christopher et même s'il ne rêve pas du tout de se mettre en couple à brève échéance, contrôler sa timidité réclame de lui toute son énergie quand il rencontre de nouvelles personnes. Il voulait devenir joueur de football. Il s'est accroché avec énergie, a fait le plus qu'il pouvait avec beaucoup de sérieux. Au bout du compte, ce n'était pas suffisant. Désormais, il s'efforce de minimiser pour lui-même sa déception, il se concentre sur des études mornes afin de faire plaisir à ses parents. Et durant les vacances, il veut s'amuser. Jules a l'impression qu'ils ont choisi la bonne île.

Sebastian tente d'attirer l'attention d'une copine de la fille que connaît Christopher. Il essaie d'engager la conversation. Elle ne parle pas français et ne comprend pas facilement son anglais approximatif. Elle regarde la piste, les gens qui dansent. Elle tourne à peine ses yeux vers lui. Il ne lui plaît pas. Lui pense surtout qu'elle est timide. Il commande à boire, pour elle aussi. Elle dit *Merci*, sourit, puis continue, le verre à la main, de regarder le mouvement des gens sur la piste. Les autres sont dehors sur la terrasse d'une blancheur lumineuse, les lanternes la font scintiller dans le noir de la nuit mykoniote. Les toiles accrochées là pour diminuer les rafales de vent paraissent immaculées. Ils rient beaucoup, se sentent comme des princes dans tout ce glamour. La mer est forte. Cette nuit, elle éclabousse l'avant de la terrasse. Les fumeurs protègent leur cigarette.

On ne sait pourquoi tant de gens viennent ici l'été. Ils veulent voir cet endroit dont tout le monde parle depuis très longtemps. Depuis Jackie O peut-être. La grand-mère de Pavel lui a parlé de Jackie O. Il aime ce nom. Une vague plus grosse que les autres fait reculer les gens quand elle se brise sur les façades un peu plus bas. Elle éclabousse quelques tables. Au loin, on voit des points lumineux, des guirlandes d'ampoules. Les bateaux de plaisance au large de Mykonos. Une jeune femme ivre accoste Pavel. Une autre vague éclabousse l'avant de la terrasse et précipite la jeune femme contre lui. Elle rit, s'excuse de l'avoir légèrement brûlé avec sa cigarette, puis ricane un peu méchamment de son silence.

Sebastian boit son verre, puis un autre, et danse sur la petite piste installée contre un mur inégalement tapissé d'éclats de miroirs. Avec des mouvements saccadés, il s'efforce de suivre le rythme soutenu qui sort des enceintes et la voix langoureuse qui répète plusieurs fois *Please don't stop the music*. Entre sa conscience et sa vue, un volet noir s'abat et se relève, s'abat et se relève encore. Cette activité inhabituelle de sa tête l'oblige à quitter la piste sur laquelle, depuis un moment, il guette son reflet agité dans la mosaïque de miroirs.

Les autres ont moins bu.

Pavel plie et replie le flyer coloré qu'il a à la main. Le meltem souffle. Il fait bon sur la terrasse, les éclats de voix se mêlent à la musique. Hors du bar, les ruelles sont loin d'être désertes. La foule perd malgré tout en densité à mesure que la nuit avance.

Entre Christopher et Judy, tout paraît plutôt harmonieux, même si le caniche mauve à bicyclette a éclaté rapidement dans les bras de la fille. Se retrouver ici a quelque chose de magique. En se tenant par la taille, ils sont allés danser sur la petite piste un long moment. Judy lui dit des choses dans l'oreille. Il la fait répéter, puis ils rient.

Sebastian a les cheveux et le haut du t-shirt mouillés quand, aidé par Jules, il remonte enfin des toilettes.

Ils vont rentrer maintenant, Judy vient avec eux. Elle tient le bras de Christopher. Sebastian est vraiment pâle et ça fait rire les autres. Ils ont du mal à s'orienter dans le labyrinthe bleu et blanc de Mykonos Town, se trompent plusieurs fois de direction. Pavel a lu dans le guide que le lacis de ruelles particulièrement complexe avait été conçu pour ralentir la progression des pirates. La musique reste dans sa tête.

Jeudi

Le lendemain, au réveil, le téléphone de Pavel indique midi passé. Les autres dorment encore. Ils ont laissé l'unique chambre à Christopher parce qu'il n'est pas seul. Avec les volets fermés, il fait entièrement noir dans l'appart. On entend le bourdonnement mécanique des climatisateurs. Pavel a remis ses vêtements de la veille et referme avec précaution la porte d'entrée. Dehors, la lumière est de nouveau éblouissante et la chaleur, toujours terrible. La foule tente de rester à l'ombre. Au bout des ruelles sur la droite, on récupère la mer et de très larges parasols rectangulaires recouvrent les terrasses de quelques cafés. Les plantes grasses remplissent les bacs, rectangulaires eux aussi. Le vent est tombé. Assis à l'une des terrasses, face à la mer, Pavel garde en place un seul écouteur pendant qu'il feuillette son guide. Il ne se représentait pas ainsi Mykonos. Il ne se représentait rien, en vérité. Les photos n'évoquaient rien pour lui. Pour les photos de Jackie O, c'est différent. Pas celles où elle porte un rang de perles, les autres. Son sourire le trouble.

L'activité du gros village en plein jour est considérable. De minuscules camions de livraison effectuent le ravitaillement des restaurants et des bars. À quelques pas, une poignée de touristes se baignent. Ils arrivent ou repartent, on ne sait pas, mais ils ont avec eux de grosses valises. Ils les ont couchées sur le sable.

Un jeune serveur, petit et svelte, aux traits fins, vient prendre la commande. Il a l'air étonné que Pavel soit seul. En anglais, il lui demande d'où il vient. Ils discutent un peu tous les deux. Peut-être que les garçons sont aujourd'hui comme des filles : ils ne voyagent plus seuls, se tiennent en groupe, s'attablent en groupe. Peut-être que pour eux aussi la solitude est devenue inconvenante. Pavel sourit, s'applique, sans y parvenir, à paraître à l'aise. Le serveur s'appelle Dimitri. Il se présente et tend la main au jeune touriste, qui la serre, et dit à son tour son prénom, un peu maladroitement, comme s'il faisait quelque chose de complètement nouveau en se présentant. Dimitri est fortement troublé par ce moment fugace et par ce très jeune homme. Le plein jour invite néanmoins à la normalité. Tout en contemplant pour lui-même le charme de Pavel, Dimitri continue de parler, de façon presque professionnelle à présent, presque mécanique. Il parle des endroits où il y a beaucoup d'ambiance la nuit. Il explique qu'il fait des remplacements dans ce café pour dépanner sa tante, mais qu'il est surtout barman au Fresh, sans doute le meilleur club de l'île en ce moment. Il est aussi barman dans quelques endroits privés plutôt sélects. D'ailleurs, si Pavel décide avec ses amis d'aller au Fresh un soir, il n'a qu'à le demander à la porte, il les fera entrer avec plaisir. Il dit que les nuits sont vraiment super à Mykonos, il utilise les mots *great, tremendous, fantastic*. Il parle du club où il travaille en disant qu'il est *huge, pretty scenic, always crowded*, même le lundi et le mardi. Il dit encore, en désignant la paisible terrasse du café, que servir cinq ou six cafés ressemble heureusement à des vacances pour lui et il repart à regret vers la table où deux touristes qui tentent d'attirer son attention depuis un petit moment s'impatientent.

À l'appartement, ils ont fini par se réveiller. Sebastian sort de la douche, sourit à son reflet, il est plus frais que la veille. La chaleur entre d'un coup quand ils ouvrent les fenêtres. Ils traînent, s'étirent bruyamment, mangent les chips de la veille et dévorent les brioches que rapporte Pavel. Judy fait chauffer de l'eau pour le café. Elle porte un t-shirt de Christopher.

Dans la nuit, elle a couché avec lui, mais c'était loin d'être mémorable. Sebastian la complimente pour le café. Il voudrait lui aussi s'enfermer avec elle dans la chambre et toucher ses seins sous le t-shirt. Judy le voit bien. Elle prend une cigarette du paquet que Sebastian lui tend. Ils fument tous les deux à la fenêtre. Elle dit que c'est la troisième fois qu'elle vient à Mykonos. Les fois précédentes, elle était avec ses parents. Cette année, elle peut vraiment faire ce qu'elle veut. Elle est venue avec des amies. Elle parle à Sebastian du Two for Tuesday au Fresh et du Paradise où des DJ célèbres font des sets extraordinaires. Dans l'île, il y a chaque nuit une ou plusieurs soirées importantes. Tout commence bien après minuit.

Avant de partir, Judy a embrassé Christopher sur la bouche pour la forme. Elle a fait la bise aux autres.

Les garçons ont pris un autobus pour Paradise Beach. Là-bas, ils ont nagé jusqu'aux rochers et se sont fait sécher contre les pierres chaudes. Ils ont aussi plongé, fait la course et dormi sur leurs serviettes. Des pin-up jouent au ballon devant eux. La veille, d'autres pin-up faisaient les mêmes gestes autour du filet, alors que d'autres jeunes hommes nageaient sauvagement le crawl avant de s'affaler sur leurs serviettes. Tout se passe comme si jour après jour les mêmes chorégraphies revenaient sur le sable. La musique habite le ciel bleu et la plage est ceinturée de bars. Ils se sont tous les quatre installés à une des tables du Tropicana.

Alors que l'après-midi avance, le volume augmente dans les enceintes géantes. Ils ont fini rapidement leur bière et ils ont toujours aussi soif. À grandes enjambées, des serveurs en short, munis de petites sacoches et vraiment très bronzés, relient le bar à la plage. Les gens dansent sous les improbables paillotes grecques. Il n'y a presque plus personne sur les transats maintenant. Il n'y a que des gens qui avancent vers la musique, pieds nus. Le serveur apporte aux garçons de nouvelles bières fraîches, c'est la maison qui offre. Ils ont encore plus soif. Il y a beaucoup d'homosexuels, mais ils ne se touchent pas et on ne les distingue pas facilement des autres. Une blonde parle à l'oreille de la fille à côté d'elle en regardant Sebastian.

Les toilettes sont à l'arrière du Tropicana. Une haie de lauriers-roses cache un chemin de terre. En traversant les lauriers, on bascule dans l'envers du décor. Sur les branches des buissons très secs, du papier de toilette rose et des sacs de plastique sont restés accrochés. Des bouteilles vides par dizaines ont été jetées derrière les buissons. Le soleil est loin d'être couché encore et les danseurs sont nombreux de l'autre côté.

La blonde qui regardait plus tôt Sebastian sort des toilettes des dames au moment où il sort de celles des messieurs, elle a pris son verre de blanc avec elle. Il n'y a pas de vent. Il fait encore très chaud de ce côté. Quand leurs regards se croisent, ils rient tous les deux.

Elle tend son verre de vin à Sebastian. Il le boit d'un trait et embrasse la blonde sur la bouche. Ils rient encore. Les lauriers et les bambous dissimulent les chemins de l'aride campagne. C'est la blonde qui embrasse maintenant Sebastian. Plus tôt, la fille qu'avait ramenée Christopher lui plaisait bien, mais celle-là lui plaît beaucoup aussi. Ils s'étendent derrière une large pierre. Juste à côté, en plus des bouteilles vides, des gens ont jeté des canettes et des préservatifs.

Quand ils ont fini, la fille rajuste son paréo. La musique continue. La foule est vraiment dense. Les garçons et les filles bougent leurs hanches, bougent leurs bras, fument face aux parasols de paille alignés et déserts dans le soleil qui a amorcé sa descente. Les drapeaux du centre nautique claquent au vent. On n'entend que le beat constant des haut-parleurs puissants qui donnent un son très défini. Aucun bruit ne parvient des touristes accrochés au tube gonflable géant tiré par un petit bateau à moteur du Diving Center tout près de la plage. Ils ouvrent la bouche, lèvent les bras, tombent à l'eau et le beat continue. Sur le sable, une partie de volley tardive se déroule, la dernière de la journée. Il n'y a plus personne pour regarder les joueurs. Des garçons montent au filet pour rabattre silencieusement le ballon de l'autre côté. Des filles crient sans qu'on les entende, suspendues un instant en l'air, avant de retomber dans des positions bizarres. La mer scintille au large.

Le complexe balnéaire s'étend encore avec, sur la gauche du Tropicana lorsqu'on regarde la mer, un coin lounge et des hamacs bleus dans lesquels, malgré le bruit, deux garçons en maillot dorment. Des filles boivent des daïquiris à la fraise en attendant leur réveil. À droite, un petit comptoir vend de la crème solaire à la noix de coco et quelques t-shirts. Des murets recouverts de crépi blanc fraîchement repeint délimitent l'espace d'une grande cafétéria. À l'entrée, les deux plats du jour, flétris par la chaleur, sont exposés dans une boîte vitrée. La décoration de l'endroit est minimale. Tout est ouvert, il n'y a pas de toit sinon de grands tissus pour adoucir le soleil. De jeunes Italiens achètent des bouteilles de blanc que leur ouvre le caissier, ils les boivent directement au goulot. L'un brandit sa bouteille en riant, l'autre renverse un peu de la sienne sur son torse en en prenant une longue gorgée. La musique est encore plus forte ici. Passé la cafétéria, une piste de danse surélevée vibre dans le rythme de la foule compacte qui s'agite face au soleil déclinant. Des garçons et des filles venus de tous les pays dansent pieds nus sur la piste. Plus loin encore, des transats ont été disposés autour d'une piscine assez petite et bondée. Des filles en bikini sont montées sur des tables et des chaises. Elles remuent les fesses, le ventre. Elles hurlent le refrain, on les entend à peine. L'énergie qu'on ressent à Paradise paraît phénoménale aux quatre garçons. Dans la piscine, des gens plongent et replongent encore, se poussent et sautent tout habillés dans l'eau sale, font des bombes. Il y a de l'eau partout et les rigoles qui permettent d'éviter les trop grandes accumulations d'eau autour de la piscine sont vraiment crasseuses. Des mégots y flottent par dizaines.

Christopher et les autres ont décidé d'aller s'installer sur les transats près de la piscine. Ils prennent leurs aises à Paradise Beach. Ils ont texté Sebastian, qui met du temps à venir les rejoindre, qu'ils migraient près de la piscine. Un employé du beach bar verse une grande quantité d'eau de Javel dans les rigoles. Personne ne le regarde. Pavel remarque une fille qui porte un maillot noir fermé sur les côtés par une boucle de plastique dur, noir aussi. Elle bouge très rapidement, sourit, chante face à une autre fille qui chante elle aussi, elles se synchronisent et chantent avec conviction l'une face à l'autre, tandis que le garçon qui brandissait la bouteille de vin blanc à la cafétéria se fait pousser à l'eau par un autre Italien à la tête rasée, avec un tatouage de la légion romaine au-dessus du mamelon droit. Ils se connaissent. Les cigarettes s'effritent dans l'eau de la piscine quand le garçon tente de les sortir de son paquet resté dans la poche arrière de son maillot. En retrouvant enfin ses amis, Sebastian a perdu la blonde de vue. La foule est trop compacte. D'autres Italiens un peu plus vieux entourent subitement Jules et lui parlent tous en même temps. Avec son maillot de la Juventus, ses cheveux ondulés et ses yeux verts, ils ont pensé qu'il était italien comme eux. Ce n'est pas la première fois que ça lui arrive. La musique tonitruante rend difficiles à comprendre les quelques phrases bancales en anglais qu'ils échangent, mais c'est sans importance. Ils se serrent la main et se souhaitent bonnes vacances. Le rythme ne faiblit pas. De nouvelles vagues de danseurs déferlent sur la piste de danse. Le va-et-vient des gens finit par étourdir Jules, qui est le premier à déclarer qu'il a faim.

Ils ont décidé de manger à l'autre bout de la plage. En continuant sur la pointe, adossée au camping, il paraît qu'on trouve une autre cafétéria là-bas qui vaut vraiment le coup. On y sert des grands plats de pâtes pas chers et des cuisses de poulet accompagnées de montagnes de riz. L'éclairage est affreux. Sebastian couche une bouteille sur son plateau. Le vin blanc a un goût de sapin. Il trouve que c'est bon. Que ça aide à faire passer la nourriture, en fin de compte, franchement dégueulasse, presque non comestible.

Sebastian raconte à présent pour la blonde, les autres ne le croient pas. Il montre la photo qu'il a prise avec son portable. On y voit une fille assez floue qui sourit devant des lauriers-roses.

Le soir est descendu pour de bon sur la plage. Il n'y a pas de vagues. Des petits bateaux ont été amarrés pour la nuit. Pavel a envie de nager. Il est capable de nager très loin sans sortir la tête de l'eau. L'alcool distrait sa peur. Rapidement, les autres distinguent mal sa silhouette qui s'éloigne, puis plus du tout. Jules est inquiet. Les garçons fument. La musique des bars continue de repousser le silence de la mer. Ils ne le voient plus. Ils scrutent la ligne d'horizon presque invisible. *Il est vraiment con*, murmure Christopher. Ils fument encore. Jusqu'à ce que des cris derrière eux leur fassent détourner la tête. C'est Pavel qui court dans leur direction en riant. Il a contourné sur la gauche en se cachant derrière un voilier, puis en passant derrière les rochers.

Avant de rentrer, ils sont allés explorer le bar du camping, plus calme que les bars de la plage. Ils ont traîné un peu avec des garçons et des filles qui discutaient autour de la petite piscine des campeurs. Il y a une certaine ambiance. Les troncs des quelques arbres plantés là sont recouverts de chaux. On entend au loin les basses d'une grosse discothèque aménagée sur la colline. Un grand brun commente le bruit, il dit que les gens sont complètement abrutis, qu'on ne s'entend pas parler dans ces usines à danser, c'est la formule qu'il utilise, *dancing factories*, puis il leur explique que c'est quand même génial Mykonos parce qu'avec tous les homosexuels qui se retrouvent dans l'île, les filles sont disponibles et chaudes. Et c'est vrai que sur la plage, c'était chaud cet après-midi. Sebastian n'avait jamais vu des filles vouloir autant un homme, ou deux ou trois. Christopher demande s'il y a des lesbiennes, en riant il fait une moue lascive, puis sort lentement la langue, mais le grand brun n'écoute pas, ne le regarde pas non plus et continue de parler avec une expression de dégoût à présent, de dire que l'inconvénient de tout ça, c'est que dès qu'il y a une crique un peu à l'écart, tu as toujours le risque de tomber sur des homosexuels en train de s'enfiler. Et avec ses deux mains, il désigne la taille de ce qu'il a vu. Les garçons ouvrent grand les yeux. *Comment ils peuvent se laisser mettre ça ?* La flamme des lanternes qui vacille dans ses pupilles lui fait un regard vraiment étrange. Deux campeurs particulièrement musclés lui disent de se la fermer. Ils lui disent de penser à autre chose. D'arrêter d'obséder. Le grand brun boit d'un trait le verre de rouge plein à ras bord qui était posé devant lui, avant de partir sans saluer personne. Une fille chuchote qu'il court sûrement se branler dans sa tente.

Un des campeurs dit en anglais *Il faut pas lui parler, il a vraiment des choses pas claires dans la tête.* L'autre ajoute *Moi, j'aimerais pas me retrouver seul sous la tente avec lui. Je comprends que les filles du camping l'évitent, il est vraiment trop bizarre.*

Ces deux gars-là paraissent sympathiques aux garçons, ils sont cool, sportifs. Ils viennent d'Espagne. Jules ne parle pas bien anglais, encore moins espagnol et il aimerait que Christopher leur demande s'il y a des choses qu'il ne faut vraiment pas rater dans l'île. Les campeurs ne demandent que ça. Ils leur racontent

Délos, juste en face. Ils ont fait ça aujourd'hui, marcher dans l'île inhabitée. Ça change des plages bondées. Et puis il y a un truc à voir, l'un des deux décrit une petite chapelle dans laquelle il y a une icône noire que les gens embrassent. Il montre sur son téléphone l'icône qu'il a prise en photo, mais on ne voit pas grand-chose, sinon un visage entièrement plongé dans le noir. On trouve aussi dans la partie nord de Mykonos, passé le réservoir, une plage déserte où l'eau est cristalline. Ils disent qu'il ne faut pas manquer la petite taverne du hameau qui jouxte cette plage. Ils n'arrivent pas à se souvenir du nom du hameau, mais ce n'est pas Panormos, Fokos peut-être. Tout le nord est moins développé que le reste de l'île. On accède à la partie rocheuse de la côte là-bas principalement par bateau, parce qu'en plus d'être mauvaises, les routes sont rares.

Autour du camping des gens vont et viennent. De petits groupes munis de bouteilles d'eau ou de Coca-Cola, dans lesquelles ils ont mis de l'alcool, partent en direction du Fresh. Ils empruntent le chemin qui grimpe dans la campagne semi-désertique, un sentier balisé d'affichettes indiquant la route vers la disco-thèque sur fond d'étonnants cocotiers peints avec des couleurs tropicales. D'autres touristes attendent l'autobus pour rentrer à Mykonos Town. Les quatre garçons ont dû laisser passer un premier autobus, il était plein. Les nuits sont joyeuses et longues dans l'île. Sur le côté de la route aussi, quelques groupes de jeunes touristes marchent vers le village ou en reviennent. Le prochain autobus sera là dans une heure. Ils n'ont pas envie d'attendre. Christopher s'amuse à lever le pouce quand passent des voitures et même des quads. Certains klaxonnent pour les saluer. L'ambiance est bonne. Un Grec à bord d'un 4x4 sombre s'arrête pour eux, il s'appelle Yannis. Il porte une chaîne épaisse en or jaune. La circulation sur la route minuscule est dense. Pavel regarde les phares de voitures en face éclairer l'homme. Yannis dit les phrases habituelles: *First time in Mykonos? Where is your hotel? Where is your apartment?* et *Where are you from?* En s'approchant du village, les gens qui marchent sur le bas-côté de la route sont plus nombreux encore. On les voit au dernier moment. Les voitures les frôlent. Les phares des quatre-roues balaient leurs sourires, balaient leurs nuques. À un moment, sur le côté de la route très encombrée et pourtant noire, Yannis a arrêté le 4x4 et indiqué la gauche avec la main en disant *This way down, you'll find your place.* Puis il a glissé à Pavel la carte d'un bar

[34]

et s'est retourné en souriant aux trois passagers de la banquette arrière et en ajoutant pour tous *Ask for me there, I'm the owner. It's a good place, quiet, with very nice people.* La carte est argentée, avec un ours bleu dessiné au-dessus de l'adresse.

Vendredi

Ils attendent dans un petit bureau. La clim au-dessus de la porte ouverte de l'agence de location envoie de l'air froid et humide. L'employé sert des filles, il leur montre comment ôter puis remettre la capote de la jeep rouge. À l'intérieur du bureau, les murs sont couverts d'affichettes multicolores en papier glacé annonçant des soirées toutes plus spéciales les unes que les autres.

Les deux quads qu'ils ont choisis sont pareils. L'un est bleu, l'autre rouge. Christopher pilote le bleu avec Pavel pour passager et Sebastian conduit le rouge avec Jules derrière. Ce sont des véhicules musclés, leurs roues peuvent emprunter des chemins très accidentés. Sur les routes qui ceinturent le village, les engins roulent assez vite, dans les côtes cependant les jeunes hommes se rendent vite compte que le moteur peine. Cette lenteur les humilie. En descente, c'est autre chose, ils aiment la position guerrière, avec leur torse un peu penché, leurs biceps tendus suivant les cahots et les sinuosités de la route.

Des centaines de petits complexes hôteliers ont été construits à l'écart du village. Les plus luxueux sont aussi luxuriants. Les autres ne parviennent pas à combattre l'aridité. Côté droit, une longue rangée de géraniums a été plantée dans le sable. Derrière, quelques oliviers poussent, courbés par le vent. Plus loin, des gens ont coulé une grande dalle de béton sur la plage et monté des murets de parpaings prolongés par des canisses. Des roseaux entourent l'endroit. Dans la dalle, ils ont placé deux poteaux de bois.

Pavel est moins passionné par les quatre-roues que les autres, mais il aime voir le paysage défiler, il aime aller où les voitures se raréfient comme les maisons. Les panneaux de circulation sont dans les deux alphabets partout sur l'île. Ils longent un réservoir. Au milieu des collines arides, l'aménagement hydraulique est franchement bizarre. Un peu de béton et une étendue d'eau lisse dans le paysage lunaire. Avec le quatre-roues, ils roulent sur la terre sèche à côté de la route. Il y a une voiture de temps à autre. Très peu. Sebastian ralentit, Jules dit que c'est le réservoir dont les Espagnols parlaient. Christopher s'arrête plus loin. Pavel enlève un écouteur pour demander ce qui se passe. Sebastian et Jules se dégourdissent les jambes. Ils aimeraient se baigner, mais tout est à découvert et de larges panneaux indiquent que la baignade est strictement interdite. Pavel remet son écouteur, il préfère les attendre sur le quad, qui devient rapidement chaud à l'arrêt et avec le soleil. Il est près de midi.

Ils se sont remis à rouler, jusqu'à une plage presque déserte où ils ont posé leurs affaires et couru en hurlant pour se jeter à l'eau. Ils nagent loin. Christopher et Sebastian continuent de nager vers le large bien après que Pavel et Jules sont revenus sur la plage. Ils ne s'en rendent pas compte. Ils font une sorte de course. Christopher est plus raisonnable, il dit qu'il faut revenir. Sebastian lui répond de rentrer s'il est fatigué. Depuis un moment, ils ne voient plus du tout les fonds, l'eau se fonce et les vagues grossissent. Sebastian nage encore. Plus loin, il décide enfin de faire demi-tour en s'étonnant de la distance qui le sépare désormais du rivage. Il peine même à se rapprocher de Christopher, qui semble pourtant immobile. La côte est loin. Ils ont du mal à revenir. Ils luttent contre le courant. Sur la plage, Pavel a remis ses écouteurs. Jules et lui les suivent du regard. Sebastian doit se calmer et rester concentré pour retrouver l'énergie nécessaire. Quand il arrive enfin à la hauteur de

Christopher, il sait que le plus difficile est derrière lui. Ensemble, ils sont plus forts. Ils échangent quelques mots, le moins possible, effectuent un mouvement après l'autre. Le courant les a fait dériver à l'autre extrémité de la plage, qu'ils parviennent à rejoindre enfin. Sur le sable, ils ont froid et sont étourdis. Les rares touristes les observent.

Le temps passe d'une drôle de manière sur la plage, comme le temps humain quand les années auront passé pour eux. Mais ils ne le ressentent pas encore. Ils disent parfois *Quand on sera vieux.* Ils le disent sans le croire tout à fait, tant cela paraît invraisemblable. Christopher jette un peu d'eau au visage de Sebastian, qui dort sur sa serviette rouge depuis près d'une heure. Ils ont l'impression que leurs quinze ans remontent à un temps historique qui appartient véritablement au passé et, depuis l'été dernier, un siècle au moins a passé pour eux. Même Pavel, qui perçoit le mouvement temporel, ne perçoit pas encore l'accélération qui s'emparera de ce mouvement. Le soleil est brutal. Christopher propose d'aller manger dans la petite taverne au bout de la plage, il crève de faim. C'est lui qui invite. Derrière ses lunettes de soleil, Sebastian regarde les jeunes touristes anglaises ou norvégiennes qui se sont installées un peu plus loin, avec leurs petits copains sans doute. *Pourquoi on n'est pas venus avec des filles, nous aussi?* demande abruptement Sebastian à ses amis. Et puis il les traite de grosses pédales et rigole. Les trois garçons ont attendu qu'il mette son t-shirt pour le resto avant de le jeter à l'eau. Sebastian rit encore plus, la tête mouillée, il fait des pas de danse sur la plage, poignets cassés, et se dandine près des autres touristes en tordant son t-shirt. Il dit *Faggot* et pointe Christopher, Pavel et Jules, pour un succès mitigé auprès des inconnus, qui sourient à peine.

L'emplacement de la petite taverne est franchement magnifique. Une minuscule terrasse couverte de bougainvilliers et qui donne sur la mer. De vastes coussins blancs et bleus sont posés sur les bancs. Jules, Sebastian et Pavel n'ont pas encore l'habitude d'aller au restaurant juste entre eux. Sauf quand Christopher les invite, ce qui n'arrive pas tous les jours non plus. Le menu de la taverne est simple et Christopher commande plusieurs plats pour tous les quatre. Un peu de bière pour étancher la soif, en plus du vin blanc qui arrive dans un récipient cuivré. Même à l'ombre des bougainvilliers, la chaleur est considérable. Et le vin tape. Ils sont contents de voir tous les plats arriver. La nourriture est savoureuse et à mesure qu'ils mangent l'effet du vin s'équilibre. Pavel a l'impression de percevoir davantage le monde extérieur ici. Il est ému par toute cette beauté. Il ne connaissait pas ça encore. Pavel trouve que les grandes bouteilles de bière sont belles. Il aime le nom des bières grecques aussi : Alfa et Mythos. Un détail le frappe, un détail qu'il avait déjà remarqué aux tables des placettes de Mykonos Town, les Grecs commandent des quantités importantes de nourriture qu'ils finissent rarement. Il ne comprend pas la façon de manger de ces jeunes Grecs venus du continent qui ont laissé l'assiette de dolmadakias à peine entamée, qui ont aussi abandonné les frites dans leur plat en plus d'une brochette. Il se demande s'il y a un rapport entre la manière de faire des Grecs avec la nourriture et la grandeur de l'Antiquité. Il a entendu parler des temples à colonnes, des statues de marbre et surtout des banquets. À la fin du repas, Christopher a commandé des cafés grecs sucrés. Ils les ont bus en fumant quelques cigarettes.

Plus tard, à côté de l'endroit où ils ont rendu les quatre-roues, un Pakistanais vend des copies pirates de films X que plus personne n'achète désormais. Jules l'a remarqué le premier et il a commencé à charrier les autres avec ça. Sebastian, lui, a voulu tout de suite en acheter en négociant *five euros* pour un lot de trois.

Les pochettes des films sont laides, et leur impression couleur sur papier blanc de base n'arrange pas les choses. On y voit des filles aux yeux vagues, avec des chevelures abondantes et mal coiffées qui contrastent avec l'épilation extrême que leur corps a subie.

Ils sont quand même excités de rentrer à l'appartement avec les films, parce qu'il y a une grande télé et un lecteur. Sebastian s'empresse de glisser un DVD dans la machine, même si les autres hésitent, n'osent pas s'asseoir. Ils sont gênés de regarder ensemble. Les copies pirates sont de bonne qualité, mais le générique a été coupé et le premier film débute presque immédiatement sur une scène particulièrement chaude et brutale. Ils ne détachent pas le regard de l'écran.

La nuit est tombée déjà quand ils ressortent. Comme avec la nourriture, les Grecs se prennent de grands cafés glacés et n'en boivent que la moitié. Ils fument. La mousse des cafés frappés est intacte dans les verres. Les touristes tournent en boucle dans les ruelles blanches. Un homme vend des ballons géants gonflés à l'hélium avec Shrek ou Bugs Bunny dessus. Pavel pense un instant à son petit frère. Dans son souvenir, il ne parvient pas à retenir le ruban d'un gros ballon argenté, qui monte lentement vers le ciel immense sans que personne réussisse à le rattraper.

Il revoit son petit frère suivre des yeux longtemps l'ascension du ballon au-dessus d'une foule de touristes, puis pense à autre chose. Plus loin, les glaçons ont fondu dans les verres abandonnés sur les tables d'une placette. L'éclairage des bougies est doux dans les ruelles étroites. Pavel aime cette douceur. Ils ont décidé d'aller boire un verre dans le bar de Yannis, l'homme en 4x4 qui les a ramenés la veille. Des lanternes posées au sol conduisent jusqu'au tracé épuré de l'ours polaire bleu grec du Blue Bear incrusté dans le mur blanc à l'entrée du bar. Au-dessus, le vent agite un drapeau arc-en-ciel. Christopher les prévient qu'avec le drapeau, il s'agit assurément d'un bar d'homosexuels. Ils hésitent un instant. À l'entrée, on leur demande de ne pas bloquer le passage, des hommes et des femmes se faufilent sans attendre qu'on les laisse passer. Mais ils sont quatre quand même, ils n'ont pas peur. Franchement, personne ne va les forcer.

Il y a déjà beaucoup de monde à l'intérieur. Yannis s'affaire derrière le bar. Il les accueille avec un large sourire, même s'il met un instant à les replacer. Il leur offre un verre et leur pose quelques questions. *So, where did you go today? Paradise? Paraga? Did you go to Delos? Not yet?* Christopher et Jules sont contents de pouvoir discuter avec le patron de l'endroit. Sebastian en profite pour demander quelle est la plage de l'île à ne pas manquer. Yannis prend un air philosophe pour répondre que tous les goûts sont dans la nature. Lui aime beaucoup Elia Beach, mais il précise, en leur faisant un clin d'œil, que c'est sans doute une plage trop gaie pour eux. Il ajoute *Come, I'll show you my office, there's a huge map in there with all the beaches of the island*. Pavel, qui était resté en retrait, a profité de l'arrivée d'un groupe de Brésiliens particulièrement agités pour se diriger vers l'escalier menant aux toilettes. Ses amis ne s'en inquiètent plus, il est souvent comme ça, indépendant, un peu fuyant.

En bas, un homme de très grande taille est entré dans les toilettes à la suite de Pavel. Son torse et ses bras musclés couverts de poils se dédoublent dans les miroirs qui recouvrent les murs, comme la barbe forte et taillée qui mange son visage. Pavel hésite un instant, alors que la porte battante s'ouvre sur un troisième homme, qui toise Pavel du regard, avant de se diriger vers l'urinoir du fond, en riant subitement.

Là-haut, ses amis mettent un peu de temps à ressortir du bureau de Yannis. Appuyé contre une colonne, légèrement à l'écart, Pavel surveille le couloir où il s'imagine que le bureau se trouve. Le bar est maintenant bondé et l'air, suffoquant. Il a déjà décidé de partir quand il aperçoit Christopher, Jules et Sebastian sortir avec un air vraiment différent, comme si une énergie explosive s'était emparée d'eux, tandis qu'ils se frottent le nez l'un après l'autre. Yannis leur aura offert de la poudre. Avec la pénombre et la foule, ils ne voient pas Pavel sortir du Blue Bear.

Dehors, la chaleur est de nouveau agréable et il n'y a plus de vent. Partout on entend de la musique, il n'y a pas besoin de s'enfermer. Les gens lui adressent la parole, mais il n'écoute pas. Il marche vite, cherche la mer. Les gens parlent fort, les filles sont saoules. Deux hommes plongent d'une petite terrasse qui s'avance sur la mer. Des femmes s'exclament dans une langue incompréhensible. Puis, l'une d'elles saute à l'eau en riant. Ils rient tous, se répondent et rient encore. De la Petite Venise, on ne peut cependant longer la mer en marchant. Il faut traverser par les ruelles bondées pour rejoindre un autre quartier de Mykonos. Pavel dépasse le Jackie O Bar et les autres terrasses. Il continue de marcher, s'éloigne du bruit, de la foule. Autour des petits bateaux de plaisance amarrés dans le port, l'eau est presque immobile. Pavel avance sur la digue déserte, parvient tout au bout, là où un des feux d'entrée du port envoie ses signaux lumineux. Deux bancs publics ont été installés tout près. Au loin, un ferry navigue en direction de Syros. Sans doute est-il parti du nouveau port. Pavel dissimule ses baskets et son t-shirt sous un des deux bancs publics avant de sauter à l'eau. Nager l'éloigne un peu plus du vacarme de Mykonos. Il nage encore, l'eau est calme et chaude. Il a traversé le port et suit la côte, sur les collines toutes les petites maisons blanches sont tournées vers la mer. Les courants lui sont favorables. Pavel nage jusqu'à dépasser le village. Le Blue Bear et tous les bars paraissent loin maintenant. Un large rocher rend l'eau plus fraîche. Il se dit qu'il devrait regagner le rivage pour se reposer un peu. Son bras gauche entre en contact avec quelque chose de géla-tineux qui flotte à la surface de l'eau, Pavel tressaille, craint une méduse, mais continue de nager en tentant dans le noir d'éviter les morceaux de plastique que charrie la mer. Il nage depuis longtemps. La côte est fortement découpée et il ne parvient pas à voir ce qui se trouve juste après le rocher qui assombrit tout, mais il n'a plus vraiment la force de rebrousser chemin. Il continue d'avancer. Pour le moment, l'effort lui évite d'avoir trop froid. S'il était franc avec lui-même, il avouerait que le rocher l'épouvante. Mykonos Town a entièrement disparu derrière lui. L'étroite plage de galets qu'il aperçoit enfin lui donne cependant le courage de continuer. En retrait de la mer, des gens sont installés dans un genre de petit bar de la plage.

Pavel grelotte, sort maladroitement de l'eau en marchant sur les pierres polies de façon inégale. Il n'y a pas de lanternes ici. Deux néons éclairent la salle en plus d'une courte guirlande d'ampoules multicolores accrochée dehors. Pavel tord son short à l'abri des regards avant d'entrer. Il séchera vite sur lui. À l'intérieur, des hommes jouent aux cartes. Ils regardent Pavel. Son arrivée est bizarre. Ils commentent à tour de rôle, d'abord à mi-voix, puis fort, quand il devient évident que l'étranger ne parle pas grec. Sur la table, autour du petit portefeuille mouillé qu'il vient de sortir de son short, l'eau s'est accumulée. Pavel a froid. Le propriétaire lui apporte une serviette décolorée. Les joueurs de cartes rient. Ils ont des têtes de pirates. Le propriétaire demande *Are you okay?* *Yes, yes*, répond aussitôt Pavel. Il a moins froid déjà, demande un thé. Les joueurs de cartes continuent de commenter. Avec de courtes phrases, l'un après l'autre. Ils fument beaucoup. Ils ont les dents abîmées et la peau noircie par le soleil. Celui qui parle le plus porte une chemise sale largement ouverte. Le patron du bar apporte le thé et un verre d'alcool ambré. *For you*. Il explique à Pavel que les hommes attablés font partie de l'équipage d'un bateau qui dessert deux ou trois îles isolées. Le nouveau port en eau profonde est juste là, à deux cents mètres au nord d'ici. Un des hommes, le plus jeune, regarde beaucoup Pavel. Ils s'adressent au patron. Ils appellent Pavel σειρήνα, la sirène. Le patron dit quelque chose en grec, puis leur offre à eux aussi un petit verre d'alcool. Le jeune marin boit d'un trait le verre d'alcool et continue de dévisager l'étranger. Ils ont à peu près le même âge. Il perd aux cartes. Un homme en chemise, le capitaine peut-être, regarde l'heure. Des papillons volettent autour des néons. Les marins se lèvent les uns après les autres. Le bar va fermer. Ils repartent à pied dans la nuit en direction du nouveau port. L'équipage s'apprête à reprendre la mer. On voit au loin l'éclairage puissant sur les quais modernes. Deux agents de la police portuaire en treillis et polos marine y font les cent pas en attendant le prochain départ. Pavel ne se sent pas très bien. Il voudrait dormir à présent. Quelques taxis conduisent des passagers jusqu'au bateau des joueurs de cartes, il n'est pas sûr d'avoir assez d'argent sur lui pour en prendre un. Le rideau de fer que le patron tire sur son bar grince bruyamment. *I am going to the town, do you want me to drive you there?*

Dans sa voiture, il met de la musique plus rock que dans le bar. Pavel a hâte de rentrer maintenant. Le patron s'est vaporisé d'after-shave avant de partir. Pavel est mal à l'aise et la cigarette en plus de l'after-shave lui donnent mal au cœur. La route paraît longue. *I want to show you something*, la voiture bifurque à ce moment-là sur une piste qui grimpe dans la colline. La ligne d'horizon reste noire alors que le panorama est large. En plein jour, le point de vue sur la baie doit être magnifique. Arrivé au sommet, l'homme coupe le moteur et pose sa main sur la cuisse de Pavel, qui tente brusquement d'ouvrir la portière, mais tout est verrouillé. *Open the door, I want to leave!* hurle Pavel.

Le patron s'est arrêté net, puis il a donné un coup avec la paume sur le volant. Il essaie maintenant de se calmer. Il baisse sa vitre, allume une nouvelle cigarette. *What is the problem, I'm not your type?* Il transpire beaucoup et remet la voiture en marche. *Don't be scared.* Il est déjà plus calme.

L'homme a tenu à ramener Pavel en s'avançant le plus loin possible dans les abords encore animés de Mykonos Town. À un moment, très près du labyrinthe blanc, il a coupé le moteur et dit, en tapotant virilement l'épaule de son passager, *Go in this street, then turn to your right,* puis, plus bas, *sorry for what happened, wrong interpretation.*

Vêtu de son seul short, Pavel a ensuite marché pieds nus à travers les ruelles. Il est heureux de retrouver la digue aussi facilement. Ses baskets et son t-shirt n'ont pas bougé.

Samedi

À l'arrivée, l'alphabet l'avait frappé, la nourriture, la manière de porter les t-shirts, les jeans, la langue, le tracé du gros village, les plages, la chaleur, la puissance du soleil. Au début, Pavel n'avait pas remarqué les collines nues, il n'avait pas remarqué la disparition des arbres. Autour des maisons, plus généralement celles de la campagne, on trouve encore deux ou trois arbres. Les gens les soignent.

Dans le paysage vallonné, quelques rares coulées vertes persistent. Il marche maintenant sur la route étroite qui mène à la plage de Paraga. Il a voulu descendre de l'autobus. Les autres l'énervent. La route est beaucoup trop achalandée l'été. De part et d'autre des murets qui longent la route, des sacs de plastique et des bouteilles d'eau vides s'accumulent. Les canettes se décolorent vite au soleil. Tout est jeté dans les champs, le vent pousse les ordures le long des murets.

Dans Hora, des bougainvilliers surgissent ici et là sur les maisons blanches, Pavel avait remarqué les fleurs roses, intensément roses. À cause du blanc peut-être, le pourpre et le rose des fleurs translucides vibrent. La beauté des bougainvilliers l'avait cependant empêché de remarquer la rareté des arbres et, avant de heurter une euphorbe avec le pied, il n'avait pas remarqué non plus les arbustes féroces et les chardons extrêmement épineux qui recouvrent la campagne cycladique. Il ne soupçonnait pas cette raideur, il avait buté sur l'arbuste comme il l'aurait fait sur une mauvaise herbe sèche mais douce, du genre de celles qu'on trouve chez lui. Son pied lui fait encore mal une fois à la plage et les autres rient. Il aurait ri lui aussi si ça ne faisait pas si mal ou s'il s'agissait du pied de Sebastian, de Christopher ou de Jules. C'est à Paraga, quand les autres ont arrêté de parler de son pied, que Pavel, dos à la mer, laissant flâner son regard sur le paysage de collines et de falaises, a vraiment remarqué l'absence d'arbres et l'omniprésence des ronces, des arbrisseaux et de toute une végétation sèche et hostile.

Aujourd'hui, comme hier soir, Pavel a envie d'être seul. Il est venu les rejoindre parce que c'était plus simple de faire comme ça. Il en a profité pour nager un moment, son pied brûle un peu dans l'eau, mais il a l'impression que le sel de mer lui fait du bien. Il a aussi pris le soleil juste ce qu'il faut, puis, prétextant une course à faire à la pharmacie, il est rentré sans eux au village. Et il est soulagé de marcher seul dans les rues, parmi les touristes anonymes. Pavel n'a jamais eu le sens de l'orientation. Dans les rues de Mykonos Town, il se perd facilement. Les ruelles prennent d'étranges directions qui le font tourner en rond. Pourtant, le plan paraît simple à première vue, il y a la route tout en haut et la mer tout en bas. Mais il ne s'explique pas l'ordre des rues, peut-être aime-t-il aussi s'égarer dans cette complexité étonnante pour un village, lui qui a grandi dans une ville plutôt récente et de taille moyenne. Ici, certaines ruelles deviennent si étroites qu'on ne peut passer qu'une personne à la fois. Il est à nouveau devant le Jackie O Bar. Les volets bleus sont fermés, ils ouvriront plus tard. Son pied ne lui fait plus mal, même la rougeur a presque entièrement disparu. La foule est compacte. Pavel est revenu sans s'en apercevoir à la station de bus. L'odeur d'essence est à peine supportable. Difficile de comprendre pourquoi des gens s'arrêtent ici pour manger. Des panneaux colorés dans les deux alpha-bets vantent les brochettes, les *greek salads* et les *fresh orange juice*. Il est perdu dans la contemplation des panneaux, quand, à l'intérieur d'un de ces comptoirs à souvlaki, il aperçoit le marin qui jouait aux cartes et n'arrêtait pas de le regarder la veille. Ce dernier l'a vu aussi. Pavel le salue de la main. Le garçon lui fait signe de venir, d'approcher, *Do you want a coffee? do you want a beer? Water not good here.* C'est un garçon de taille moyenne, à la fois musclé et presque maigre. Il porte un t-shirt avec une ancre brodée mécaniquement dessus et un pantalon de toile foncée comme le t-shirt. Il a un petit sac à dos sur les épaules.

Ils boivent une bière debout. Il s'appelle Kimon et vient d'un hameau perdu dans les montagnes d'une île lointaine où personne ne va, *Not like here, real mountain, very high.* Pavel ne retient pas le nom de l'île. *Very nice. Very nice there.* Il se mariera au printemps prochain, *In my island.* La fille vient du hameau voisin. Avec son travail cependant, il n'y retourne pas de toute la saison. Il est content d'avoir ce travail, sauf que l'été il n'a qu'une journée de congé par mois. Il pense à autre chose et sourit, *You swim good! Last night!* Il pose sa main sur son torse, *I swim good too. We should swim together. Here not good. Fifteen minutes from here, on the left side when you're in front of the sea, very good place. Just after Kalamopodi.* Durant un instant, Pavel hésite, mais il a envie de connaître l'endroit dont parle Kimon, qui insiste d'ailleurs, d'une façon douce, presque naïve, mais autoritaire aussi.

Ils sont donc partis à quinze minutes de Hora, sur le vieux scooter du garçon qui envoie au démarrage un nuage de fumée sombre. Pavel a vu faire les hommes grecs quand ils sont passagers d'un deux-roues, il fait comme eux, se tient éloigné le plus possible du conducteur et regarde de côté. Rien à voir avec les femmes cambrées et langoureuses qu'on voit sur toutes les motos ici. Ils ont suivi la route encombrée que Pavel avait prise plus tôt et qui conduit vers les célèbres plages du sud, Paraga, Paradise, Super Paradise, puis Elia. De grands panneaux les annoncent. Quatre filles en bikini à bord d'une décapotable rouge passent près d'eux sans leur jeter un regard. Plusieurs motos doublent le scooter de Kimon. Beaucoup de gens transportent leur serviette de plage autour du cou. Ils ont roulé une quinzaine de minutes dans la circulation dense et joyeuse de Mykonos, jusqu'à ce que le marin tourne à main droite sur une petite route de terre qui grimpe dans la colline désertique. La route se termine devant un bâtiment aux grilles métalliques fermées qui fait face à la mer. Il est surmonté d'une enseigne presque quelconque sous le soleil brûlant, on peut lire le mot *Fresh* dessus. Kimon a laissé le scooter au bout du grand parking en gravier attenant au bâtiment. Il dit, en ôtant son pantalon de toile et en enfilant un maillot par-dessus son slip, *During the day it is closed and quiet, but it's a disco. Very famous disco.* Pavel, qui préfère ne pas évoquer le barman du Fresh qu'il a rencontré dans un café de Mykonos Town, ne commente pas. Il est déjà en maillot et a ôté son t-shirt pour le mettre avec les vêtements du marin, sous le siège du scooter.

Le sentier qu'ils suivent est escarpé, il conduit à un grand promontoire qui domine la petite baie sauvage que la côte déchiquetée du sud de Mykonos permet de dérober aux regards des fêtards. L'eau bleue les attend tout en bas. L'absence d'arbres modifie l'appréciation des distances. Des ronces, des chardons et des pierres. Et derrière les pierres, Pavel ne les voit pas, il y a les vipères. Kimon l'explique en imitant le sifflement du serpent, en faisant *ksss, ksss* et en mimant la reptation avec la main, puis le bras tout entier.

Les siècles ont arrondi les murets de pierre sur ces terres difficiles, désormais abandonnées par les paysans. Une ancienne cabane de berger au bord de la falaise est peu à peu reprise par les ronces. Les fils de fer sont plus récents, même s'ils ont eu le temps de rouiller.

Ici le vent souffle avec une force incroyable. Il siffle sur une vieille clôture ouverte. Face à la mer, la paroi rocheuse est abrupte, on voit d'immenses pierres tombées dans l'eau cristalline. La hauteur trouble Pavel. Il se souvient d'avoir lu sur la mobilité tectonique de la Grèce. Certaines pierres de plusieurs tonnes ont la forme des galets plats avec lesquels on fait des ricochets dans l'eau. Il n'y a personne ici. Kimon fait glisser des gros cailloux avec le pied dans le précipice. Ils tombent longtemps avant de heurter les rochers et l'eau. Le marin rit de la durée qu'il faut aux cailloux pour atteindre l'eau et de la force avec laquelle ils heurtent les rochers et se fendent. Pavel rit aussi. Ailleurs, loin d'ici, chez lui, il aurait pensé du regard du garçon, un regard de crétin. Ici pourtant, c'est différent. Quelque chose de magnétique se dégage de Kimon. À cause des volumes, du vertige, un bourdonnement résonne dans les oreilles de Pavel tandis qu'ils descendent à la plage. Les pierres qui s'effritent n'offrent pas beaucoup d'adhérence sous les pieds. Plus bas, le petit chemin devient vraiment tortueux, Pavel glisse et se reprend. Des mers fortes ont creusé la falaise par endroits et les rocs monstrueux juste au-dessus paraissent sur le point de s'effondrer contre le rivage. Le plus simple est d'entrer à l'eau à partir des rochers.

Les deux garçons font des mouvements vigoureux dans l'eau très claire et chaude. Il n'y a personne. Un ferry passe au large, tandis qu'ils nagent côte à côte. Au fond de l'eau, les rochers sont entourés d'une végétation sombre. Ils nagent au-dessus de touffes d'algues éparses, puis ils vont au fond de l'eau. Kimon désigne du doigt les poissons, le sable à un endroit comme voilé par l'ombre de la profondeur, quelques rochers et les algues. Ils remontent pour respirer, le garçon dit des touffes d'algues que ça ressemble au sexe des filles. Ils rient tous les deux. Plus loin, ils grimpent sur un rocher plus gros que les autres. Une forme énigmatique et abstraite, comme la nature en présente toujours. Le soleil chauffe la partie émergée du récif. Kimon montre à Pavel où plonger. C'est haut, mais l'eau est profonde. Ils ont plongé et replongé jusqu'à ce que Kimon dise qu'il devait maintenant rentrer.

Dans le parking du Fresh, tout est encore désert. Kimon a tendu sa petite serviette à Pavel et ils se sont rhabillés. Ils achèveront de sécher sur le scooter. Jusqu'au village, ils n'ont plus échangé un mot. À Hora, ils ne savaient pas vraiment comment se dire au revoir. Le jeune marin a tendu un bout de papier avec son téléphone griffonné, puis ils se sont serré la main même si c'était un peu ridicule.

Dimanche

Deux jours après la soirée au Blue Bear, les autres veulent retourner là où quelque chose comme une amorce de renommée autour de leurs jeunes personnes peut advenir. Ils discutent pas mal du fait que le Blue Bear est un bar gai. Christopher trouve qu'il y a quand même beaucoup de filles et il est sûr que les gars là-bas ne sont pas tous gais. Sebastian tient à dire que, si l'ambiance est bonne, ça ne le dérange pas. Pourvu qu'on ne le touche pas et qu'il y ait des filles. Si en plus on lui paie des verres et de la poudre! Pavel, lui, ne tient pas à s'enfermer dans un bar. Il préférerait aller au bord de l'eau avec eux, ils pourraient s'acheter à boire et s'installer sur une des petites plages du village. Des gens le font. Des jeunes comme eux. Mais les autres ont l'air de tenir à être à l'intérieur d'un bâtiment avec la foule, avec tous ces corps mis ensemble, et Pavel ce soir a envie de rester avec ses amis, avec Jules, Christopher et Sebastian. Il est de meilleure humeur, il veut passer la soirée avec eux, tant pis s'il faut être au Blue Bear.

Sur place, il trouve quand même que Yannis, dont Jules n'arrête plus de parler depuis la soirée de l'autre jour, est distant. Yannis s'entretient avec un garçon roux. Une belle tête marquée d'une balafre qui soulève légèrement un côté de la lèvre supérieure. Le roux est à peine plus vieux qu'eux, il écoute attentivement son interlocuteur. C'est une sorte de déconfiture pour les autres, Yannis ne s'extrait pas de sa conversation pour venir les saluer. Le roux tourne un instant la tête vers eux. Yannis continue de lui parler à l'oreille en regardant dans leur direction, à moins que ce ne soit en direction de l'entrée.

Pavel est resté légèrement en retrait, il pense à autre chose, l'image que lui renvoie le miroir qui couvre un mur entier insiste sur sa peau, moins foncée que celle de ses amis, et ses traits presque féminins. Les cheveux longs, il aurait l'air d'une fille. Du moins, sa musculature ne le contredirait pas. Sa taille peut-être. Pavel n'est pas immense, mais il n'est pas petit. Il trouve son visage à la limite de l'insignifiance et pense la même chose du visage de ses amis. Des visages courants. Il est trop jeune pour percevoir l'usure rapide qui s'empare du vivant, individu après individu. Il regarde et il voit autre chose. Il n'est pas assez vieux pour apprécier la véritable beauté de la jeunesse qui vient de son caractère éminemment temporaire. Parce que pour lui, les vieux sont vieux et lui est jeune, rien de plus. C'est ce qu'il perçoit. Ce sont là, pour Pavel, des données presque immuables. Les imperfections de sa peau le contrarient cependant quand il s'observe, de même que ses traits trop peu dessinés et la rondeur somme toute relative de ses joues.

Yannis interrompt les pensées de Pavel en s'avançant vers eux, il leur présente le garçon roux, son ami, il travaille pour lui, précise-t-il, et en profite pour lancer à Pavel *So, you're the one who disappear the other night*, qui ne sait quoi répondre. Il dit *Yes* avec un sourire un peu forcé qui satisfait Yannis. Ils sont proprets, Pavel a même mis une chemisette. Ils ont pris leur douche avant de sortir et ils transpirent à nouveau dans le bar. La barbe de Yannis est très foncée, il la porte courte, une barbe de trois jours qui noircit entièrement le bas de son visage. Le roux aussi parle anglais avec lui. Ils poursuivent une conversation que le bruit ambiant rend difficilement audible. *I'm not sure it is a good idea*, plaide le garçon imberbe. *Why not?* demande Yannis, qui n'attend pas de réponse à sa question et dont le visage fermé devient peu à peu souriant, tandis qu'il repart en direction du bar avec le roux à sa suite.

Les garçons regardent depuis tout à l'heure la piste de danse à demi vide. Pavel se moque gentiment d'eux, de leur grande soirée V.I.P. Il propose d'aller ailleurs. Le Blue Bear continue de se remplir et les garçons ne se décident pas à partir. Ils sont néanmoins sur le point de quitter l'endroit quand un serveur vient leur porter de la vodka glacée. Du bar, Yannis lève son verre dans leur direction. Il connaît bien la sensibilité et la vanité des très jeunes hommes. C'est un jeu, il les regarde, avance ses pions, s'amuse à prévoir leurs mouvements. Il aime les voir réagir. Il s'intéresse à eux. Christopher et Sebastian lèvent aussitôt leur verre. Le geste des deux autres est plus timide.

Le serveur est revenu un peu plus tard avec de nouveaux verres. Beaucoup de gens circulent dans le bar. Des groupes entrent d'un coup, certains ressortent. Des filles dansent maintenant sur la piste. Yannis s'est approché, il a la main sur l'épaule de Sebastian. *Are you having fun?* Les garçons sourient et disent *Yes* à cause de la vodka. *Tonight there is a special night in a special place. Do you want to come with me and my red-haired friend? He works there.* Jules dit *Yes* encore, puis ajoute *But we're not gays. You don't have to be,*

répond Yannis. *There will be ladies, beautiful ladies.*
It is a very special place. Not all tourists are invited
there. If you want to come, we're leaving pretty soon
with the boat. Les garçons ne savent toujours pas quoi
répondre alors que Yannis est déjà reparti vers le bar.
Ils ont tous envie d'aller à cette soirée en vérité, même
Pavel. Christopher dit *J'ai pas envie de me faire enculer.*
Les autres lui opposent les *beautiful ladies* qu'a fait
miroiter Yannis. Et puis ils finissent par se dire qu'à
eux quatre, ils peuvent se défendre. Pavel dit quand
même *Vous avez vu comment il a l'air fort, Yannis ?* Ils
répètent qu'ils sont quatre et qu'ils ne se laisseront pas
faire, sauf par les *beautiful ladies.*

Ils sont très excités d'être à bord du bateau qui
mène à la *very special place.* Il est très probable que
l'intérêt qu'ils suscitent ne dure pas toujours, mais
ils ne pensent pas à ça. Protégé par la nuit, Pavel n'a
pas le mal de mer. C'est le roux qui est à la barre du
yacht, il s'éloigne juste ce qu'il faut des côtes. Il n'a pas
ouvert la bouche depuis qu'ils ont quitté le Blue Bear.
Le bateau fonce dans la même direction que Pavel
l'autre jour, à la nage. La vodka le pousse à raconter.
The other night, I swam all the way to a little beach over
there. Yannis rit. *But it is very dangerous my friend!*
It is so deep here and with the current you could have

drowned! Pavel est fier d'être l'auteur de cet exploit et c'est un peu encore la faute de la vodka. Il ne va pas jusqu'à demander à Yannis s'il connaît le patron du petit bar, même s'il est sûr qu'il le connaît. Le moteur les propulse à grande vitesse sur la surface de l'eau noire éclairée par le puissant phare du yacht, qui se tient loin des récifs. Mykonos Town est derrière eux. *The place we are going to is called Shismi, which means* crack *or* slot. Christopher rit en traduisant pour les autres, ils n'ont pas compris. Il dit la *fente*, et il se surprend d'en être gêné. Il aurait dit la *vulve*, ça aurait été pire. Mais déjà le mot *fente* lui semble être cette nuit le mot le plus obscène, le plus lubrique qu'il lui ait été donné de prononcer. Le mouvement du yacht sur les vagues donne à la conversation une teinte irréelle. Les enceintes miniatures crachent une musique dont le tempo s'accélère depuis qu'ils ont quitté le port. Yannis a montré aux garçons le somptueux bar du bateau, en les invitant à se servir. Puis il a préparé un verre au jeune homme roux qui est à la barre. En le lui apportant, Yannis en a profité pour embrasser sa nuque très pâle. Le baiser furtif n'a pas échappé à Pavel. Sebastian a choisi de faire des screwdrivers, ils auront le temps de les boire avant d'arriver. Yannis, lui, ne boit pas, il se contente d'offrir un peu de poudre à ceux qui en veulent et d'accompagner ses paroles de la fumée de sa cigarette que le mouvement du yacht fait disparaître aussitôt dans la nuit. Le luxe de ce déplacement donne le sourire aux garçons.

Ils se rendent dans un endroit éphémère et clandestin, qui ouvre environ quatre fois dans le mois, explique Yannis. Les autorités tolèrent ces soirées ultra-chic dans ce secteur non constructible de l'île. Ce sont des amis de Yannis qui organisent ces soirées et les gardes côtiers chargés de ce secteur ferment les yeux. Mais tous s'inquiètent un peu des changements survenus récemment dans la police maritime. Le patron du Blue Bear affirme que beaucoup de bonnes affaires se brassent là-bas, des histoires d'approvisionnement un peu compliquées que l'endroit simplifie.

À Shismi, une sorte de petit phare est activé sur l'avancée rocheuse où le club très privé est installé. Des bâches de coton bleu délimitent les lieux. Ici, la mer est abritée. À quai, sans la poussée du moteur, le bateau balance fortement. L'eau est encore plus pure de ce côté de l'île et, avec le noir de la nuit, toute une magnificence vient. La lumière du petit phare éclaire la large fente dans les rochers qui a donné son nom au lieu. Et sous l'eau, des projecteurs ont été installés aussi qui font resplendir les fonds. Pavel n'a jamais rien vu de plus beau. Quand ils arrivent, il y a peu de gens. On entend le bruit des vagues claquer dans la fente. L'eau bleue frappe le rocher blanc, percute le rocher vague après vague, puis se retire, faisant rouler quelques petits cailloux sur la surface polie de l'avancée. Des transats leur sont désignés. Les gens ne crient pas ici. Tout est somptueux. Des serveurs passent avec des verres déjà préparés sur leur plateau. La qualité du son, même si la musique n'est pas forte, reste remarquable. Les garçons n'y font pas vraiment attention. Néanmoins, le décor spectaculaire les impressionne. C'est une chose étrange, les transats sous la lune. Les uns après les autres des hommes et des femmes arrivent, en bateau surtout, mais aussi en quad ou en 4x4. Et, Yannis n'avait pas menti, des filles magnifiques.

Sebastian, Christopher et Jules ont bu quelques verres depuis qu'ils sont là. Le son de la musique a déjà commencé à monter. Des gens plongent à l'eau, d'autres dansent près des enceintes. Pavel s'est baigné. Il ne fait pas froid et il sèche dans son transat entouré d'une serviette à l'odeur de savon. Le petit phare éclaire les visages qui s'en approchent. Beaucoup d'hommes portent la barbe très courte et impeccablement taillée. Une barbe sombre qui monte jusqu'à leurs pommettes. Les filles ont les cheveux longs, les autres sont lesbiennes, c'est ce qu'affirme Sebastian. À Shismi, les gens sont beaux cette nuit sur le rocher très blanc, même les filles aux cheveux courts. Des quatre garçons, personne n'a encore assez de barbe pour pouvoir la porter comme les hommes grecs que Pavel observe. Lui-même est presque imberbe et le restera sans doute. Sebastian pourra peut-être bientôt porter ce demi-masque noir et dense sur le bas du visage. Mais avant ce voyage, jamais ni Sebastian ou Christopher, ni Jules et encore moins Pavel n'ont rêvé de porter la barbe. Ils sont plutôt habitués à se moquer des garçons hypervirils, tatoués et musclés, qui se marient très tôt. Ici cependant, c'est autre chose. Le déplacement et la distance redistribuent les cartes, et Pavel regarde attentivement ces hommes qui rient entre eux, certains enlacés par de superbes créatures à cheveux longs, des femmes bronzées, fumant de fines cigarettes et portant des talons aiguilles pourtant invraisemblables sur un rocher. Le vent faible sur leurs tenues soyeuses fait découvrir de splendides silhouettes. Les larges colliers d'or ou d'argent des hommes brillent dans la nuit, plus encore que les bijoux très fins des femmes élégantes. Pavel n'a jamais vu de filles porter des robes comme ça dans sa ville. Il sourit pour lui-même en imaginant de telles créatures sous la pluie froide ou encore après plusieurs jours très gris et mornes dans les rues bordées d'immeubles en briques. Des hommes pieds nus portant des t-shirts blancs moulants et des jeans trois quarts sortent des bouteilles d'un petit bateau de pêche multicolore. Il y a beaucoup de gens autour du bar. Mais personne ne semble ivre ici. Rien à voir avec Paradise Beach et ses hordes de touristes métamorphosés par l'alcool. Il pense un instant à Kimon, qui ne serait jamais invité dans un endroit pareil. Deux filles sont près de lui, assises sur le bord d'un même transat. Elles parlent grec. Il voit leurs jambes lisses et bronzées. L'une est en maillot, avec les cheveux mouillés, enroulée en partie dans une épaisse serviette bleue. Elles se parlent dans le creux de l'oreille. La fille enroulée dans la serviette en profite pour embrasser la bouche de l'autre à la dérobée. Les filles n'ont pas fait attention au jeune homme silencieux dans son transat. Elles sont un instant mal à l'aise quand elles l'aperçoivent. Pavel sourit, il vient de repenser à ce qu'a dit Sebastian plus tôt, en remarquant qu'elles ont les cheveux plutôt courts. Elles sourient en retour au jeune touriste à l'air inoffensif. Celle qui s'est baignée sort un bras de la serviette pour faire chut avec l'index sur la bouche en direction de Pavel, qui fait oui de la tête, et pense au même moment à ce qu'il a lu dans le guide, que les Grecs ne font pas oui de la tête de la même manière. Et ça le fait sourire de nouveau tandis que les filles retournent à leur conversation secrète. Un peu plus loin, la piste de danse installée sur une partie légèrement plus haute du rocher, est maintenant occupée par des corps étincelants, et Pavel se perd dans leur contemplation, détaille toutes les silhouettes visibles de Shismi. Christopher et Sebastian dansent frénétiquement sur la petite piste. Jules, resté à l'écart avec les gens qui regardent les danseurs, bouge le haut du corps, suit le beat. Dans toute cette beauté, il ne dépare pas, et Pavel s'en étonne presque. Ils ont l'air heureux.

Les hommes en t-shirt blanc qui déchargeaient l'alcool sont aussi ceux qui passent près des transats avec des plateaux remplis de verres de toutes les couleurs. Le roux est parmi eux. Pavel alterne les long drinks et la vodka pure que les serveurs continuent d'offrir. Un garçon assez petit, lui aussi vêtu d'un t-shirt blanc ajusté, prépare les verres au bar. Il s'affaire au-dessus d'une large planche de bois peinte, parfaitement posée sur une saillie du rocher. Au début, Pavel ne reconnaît pas Dimitri, le serveur rencontré dans un café de Mykonos Town. Il est un peu loin aussi et l'éclairage se concentre sur les bouteilles et le blanc éclatant qui a été appliqué sur la planche du bar. Il ne voit pas d'argent circuler, mais derrière le comptoir le barman s'active.

En temps normal, peut-être parce qu'il est de nature réservée, Pavel ne se serait jamais précipité vers quelqu'un qu'il connaît si peu. Mais en reconnaissant Dimitri dans cet endroit improbable, Pavel s'est levé d'un bond. Il faut faire attention cependant, le sol est inégal et les gens marchent correctement ici. Il ne veut pas avoir l'air d'une loque, d'un touriste ivrogne. Il veut avoir l'air de ce qu'il a l'impression d'être malgré tout, un mec cool, jeune. Il a eu une copine qui lui avait dit qu'il était mystérieux. Ça l'avait flatté. Et il s'était souvent répété depuis cette phrase qui lui donnait de l'aplomb, *Tu es mystérieux*. Mais la phrase s'était usée en quelques mois, elle ne lui apportait plus aucun réconfort et il avait fini par la trouver ridicule.

La réaction du barman donne raison à Pavel d'être allé à sa rencontre. Dimitri a l'air content de le voir ici. Content et étonné. *You came with whom? With Yannis*, répond Pavel. *I imagine that you know him. We met Yannis two days ago.* Dimitri demande s'il parle bien du patron du Blue Bear, en continuant de préparer avec célérité des cocktails que les serveurs ne cessent de venir chercher. La fierté que ressent momentanément Pavel de connaître le barman de cette soirée exceptionnelle est disproportionnée et enfantine, il le sait. Il la savoure quand même dans le beat des haut-parleurs, dont le son a continué d'augmenter. Par-dessus la musique, Pavel entend un mot sur deux que hurle Dimitri et il fait oui de la tête. Des femmes viennent échanger quelques mots, des hommes aussi, Pavel ne saisit pas du tout comment fonctionne le service des drinks à Shismi, mais il sourit d'être au milieu du mouvement et se concentre sur ce que dit le barman, qu'il peine vraiment à comprendre. Tant que Dimitri n'insiste pas pour obtenir une réponse plus cohérente, Pavel se contente d'acquiescer d'un air calme, en contrôle. Dimitri pense peut-être qu'il est homosexuel, l'idée traverse la tête de Pavel. Yannis les fait passer pour des homos. Il demande au barman *You know well Yannis?* Dimitri répond qu'il le connaît depuis longtemps. Pavel hésite à lui demander s'il sait que Yannis est gai. De nouveau, ils sont interrompus par deux hommes particulièrement musclés et bronzés et qui ont des piercings en or le long des oreilles. Ils portent eux aussi des t-shirts ajustés sur leurs jeans moulants. Le plus jeune a la nuque tatouée. Pavel ne quitte pas le tatouage des yeux, un large scorpion qui monte vers le haut du crâne. Quand ils sont repartis, le barman a glissé à l'oreille de Pavel *I'll tell you the truth, Yannis is a bad man.* Et, naturellement, Pavel a eu le réflexe de penser que ça avait un lien avec l'homosexualité, avec les ambiguïtés de Yannis, mais c'était compliqué ici de demander qu'il développe en hurlant pour couvrir la musique. Le beat dans les enceintes doit maintenant s'entendre loin sur l'eau. Dimitri a alors parlé de toute autre chose, il a dit d'une voix plus forte ce qu'il lui avait déjà dit au café *You should come with your friends at Two for Tuesday. The Fresh is a very good disco. I'll let you in, just ask for me, Dimitri, at the door.*

Les autres sont arrivés à ce moment-là derrière lui, ils le cherchent depuis une dizaine de minutes. Christopher dit *On a pensé que t'étais rentré à la nage!* Et Sebastian ajoute *Avec une sirène!* Ils sont tous ivres. Dimitri est de nouveau accaparé par les serveurs qui font le plein de verres. Jules explique à Pavel que Yannis doit partir, qu'il propose de les ramener. Il dit que sans lui, ce sera dur de rentrer à quatre. Il n'y a que des routes de terre dans cette partie de l'île et les places dans les jeeps sont limitées. Dans les bateaux, les gens préfèrent souvent rester entre eux. L'eau attire le regard de Pavel. Un peu plus loin, des hommes plongent là où elle est plus foncée que turquoise. L'écume se disperse avant que les plongeurs ne remontent à la surface. Quand ils sortent la tête de l'eau en aspirant l'air profondément, leurs visages brillent. L'eau glisse, tombe, ils secouent la tête vigoureusement d'un côté et de l'autre, puis recommencent à nager. Avec un mouvement des bras trop crispé, trop raide pour être parfaitement efficace. En certains endroits, l'eau est émeraude, puis noire juste après. Pavel n'a pas envie de rentrer, mais l'idée de voyager de nouveau en yacht, en suivant les côtes, le séduit.

Yannis propose de les déposer pas très loin de Hora dans un beach club qui reste ouvert toute la nuit. Un de ses amis garde-côte l'a texté tout à l'heure pour le prévenir d'une descente qui aurait lieu à Shismi durant la nuit. Pavel n'ose pas demander pourquoi le roux ne revient pas avec eux dans ce cas. À bord du luxueux bateau, ils sont alourdis par l'alcool, mais ils planent. Ils ont devant eux de grandes flûtes de vin mousseux. L'une après l'autre, les bulles remontent à la surface. Elles sont comme les perséides, d'abord hésitantes, puis très rapides avant de disparaître.

Lundi

Le jour se lève sur la baie. Les gens qui ne sont pas encore rentrés chez eux demeurent nombreux. Les montagnes et les falaises restent dans le noir, alors que le ciel est devenu clair en quelques minutes. Bleu très clair. Plus personne ne danse depuis une heure ou deux. Un homme passe entre les transats avec un sac poubelle. Il ramasse les déchets des fêtards. Le sac se remplit vite. Les serveurs ont recommencé à servir des cafés frappés à ceux qui sont encore éveillés. Pavel dort sur le sable. Il tient sa chemisette roulée en boule contre son visage. Ni Christopher ni Sebastian ne dorment. Ils conversent avec une jeune femme qu'ils ne regardent plus beaucoup. Elle est aussi épuisée par l'alcool et la nuit qu'eux, bien qu'elle continue, de plus en plus mollement, à ne pas vouloir céder trop vite aux avances d'un des deux garçons. Le son que projettent les haut-parleurs a diminué depuis tout à l'heure. La texture des sonorités reste agréable, des lignes mélodiques futuristes accompagnent le jour d'été qui se lève sur la plage. Sebastian bâille, la fatigue l'engourdit. À la lumière du jour, ce matin, un certain vide l'envahit. La musique est parfaite, elle hypnotise. Le rythme continu, complexe et lent lui donne envie de fermer les yeux, il se sent bien dans le transat.

Christopher a attendu que, face au soleil qui monte doucement, Sebastian s'endorme tout à fait pour embrasser la fille. Au fond, elle aussi a envie de ramener des souvenirs de vacances. Il lui propose de ne pas rester là, de le suivre à l'appart. Jules a dû rentrer déjà, mais il n'aura sûrement pas pris la chambre. Elle dit oui, de toute manière elle ne voit plus vraiment les gens avec qui elle est venue ici. Ils ont dû faire autre chose et ce garçon-là a l'air gentil, il est drôle et sa peau est belle. Des autobus poussiéreux ramènent les touristes à Hora. À cette heure-ci, il ne fait pas encore chaud, mais l'intérieur du vieil autobus pue déjà. En attendant qu'il démarre enfin, Christopher contemple un grand potager avec, au bout du tuteur de chaque plant de tomates, une canette qui brille dans la lumière. Pour effrayer les oiseaux peut-être. Il aperçoit aussi un homme s'approcher de l'autobus en tenant ce qui est sûrement une vipère. Il la montre en riant au chauffeur, qui crie quelque chose de la fenêtre en s'esclaffant à son tour. La fille dort lourdement contre l'épaule de Christopher. Il se demande un instant s'il fait bien. Il est fier en même temps de l'avoir contre lui et se laisse aller peu à peu au sommeil. Il s'imagine en elle, il a envie d'être en elle. Quand son corps s'abandonne à la douceur des rêves, la tête de Christopher heurte la vitre, mais le sommeil est meilleur que tout. Il se place un peu mieux pour éviter de se cogner à nouveau et s'endort pour de bon.

Sur le sable, alors que Pavel dort encore, la texture d'un godemiché couleur chair est venue dans sa tête. Des veines gonflées, toujours couleur chair. Durant un temps, Pavel a l'impression de rêver des glaces à lécher qu'on trouve partout ici sur les grands panneaux de plastique moulé à l'effigie de cornets et qui donnent à voir la texture des noisettes recouvertes de chocolat ou bien des boules de glace fourrées d'improbables crèmes fondantes. Des panneaux de plastique qui montrent aussi, au bout de petits bâtons de bois, des glaces très colorées en forme de pied rose ou de pastèque rouge. La couleur chair revient dans le rêve de Pavel, elle est maintenant plus chaude, plus lumineuse, comme si on lui enfonçait l'engin dans la bouche, puis, comme si on lui enfouissait le visage sous un oreiller de chair ou sous des fesses, claires peut-être, mais calleuses et imposantes. La force du soleil s'apprête à le réveiller sur la plage. Il suffoque et se redresse brusquement en ouvrant des yeux égarés. À côté de lui, Sebastian a relevé le dossier du transat et boit un frappé. Les gens dorment à demi nus sous les parasols, où d'autres étaient couchés la veille, où d'autres encore se coucheront demain. La toile des transats est crasseuse. Les serveurs ne sont pas frais non plus.

Pavel se sent un peu bizarre à cause du rêve, mais ils ont quand même passé une bonne soirée. À Shismi, c'était vraiment super. Le retour en bateau a été incroyable aussi. Pavel est enthousiaste. Même s'il se sent vraiment barbouillé, il arbore un large sourire en s'installant sur le transat juste à côté de celui sur lequel son ami broie du noir. Sebastian aurait voulu se réveiller aux côtés de la fille. Il s'étonne d'avoir été si fatigué, comme dans les films quand quelqu'un, à la dérobée, fait fondre des comprimés dans le verre du héros et que ce dernier s'effondre après en avoir bu deux gorgées. Sebastian sourit d'être aussi parano. Il sait bien que Christopher ne mettrait jamais un truc dans son verre pour l'évincer. Pavel sourit à son tour, ôte son short, puis se dirige en caleçon vers l'eau, sans doute pour se rafraîchir, éloigner la nausée et dissoudre le halo du cauchemar qui ne l'a pas encore quitté. Sebastian trouve son café vraiment trop sucré. Il a un peu de mal aussi finalement à comprendre l'obsession de la baignade chez Pavel. Personne d'autre ne se baigne ce matin ici. Ses pensées dévient bientôt sur le GHB. Il ne l'a jamais fait, mais l'idée de prendre du GHB avec une fille avant de baiser lui plaît beaucoup. Il glisserait les comprimés dans son verre et dans celui de la fille, en toute complicité. Il imagine leur abandon obscène et mutuel, la timidité et la retenue qui céderaient comme des digues devant une vague exceptionnelle. Ce mouvement surpuissant libéré par la chimie. Aux premières heures du jour, malheureusement, personne n'a mis quelque chose dans son verre. Et il s'est juste endormi la tête vide bercée par la musique ambient alors que la fille était à sa portée. Il en est certain. Il enlève son t-shirt pour mieux prendre le soleil et s'allume une cigarette. Il aime l'effet du tabac quand il est à jeun.

Plus tard, Pavel est rentré seul à Hora. Il ne voyait plus Sebastian et ne pouvait l'appeler, parce qu'il avait eu l'idée bizarre de laisser son téléphone à la maison la veille. En buvant un frappé sur un étrange croissant au chocolat, Pavel a attendu un long moment que son ami réapparaisse, avant de finir par monter dans un autobus.

La nausée qu'il a depuis le réveil est plus forte maintenant. Il a envie de se changer. Il fait beaucoup d'effort pour ne pas regarder le revêtement des sièges et le rectangle blanc en tissu synthétique qui recouvre les appuis-tête. Y penser intensifie son envie de vomir.

À la station d'autobus de Mykonos Town, Kimon n'est pas là bien sûr, mais Pavel, d'un pas mal assuré, regarde quand même en direction de l'endroit où il se tenait l'autre jour dans l'air saturé de gaz carbonique. Il veut demander l'heure sans raison précise. La chaleur est redevenue terrible. Elle pèse sur la tête des gens qui fourmillent autour des autobus. La saleté de la plate-bande qui sépare les autocars du petit guichet où sont vendus les billets dépasse l'imagination. Partout les mégots emplissent les interstices. Pavel a vraiment la nausée à présent. La bouteille d'eau qu'il a achetée au petit comptoir va réchauffer vite. Des formes très texturées lui reviennent en tête. Le t-shirt près du corps, bariolé, de la femme plantureuse juste à côté de qui il s'est arrêté pour prendre une longue gorgée d'eau, le saisit à la gorge. Il est étourdi, s'assoit sur le rebord de la plate-bande. Les photographies trop colorées des plats que proposent les petits restaurants en face de lui continuent de briller. Les brochettes sont agrandies, tout est agrandi et Pavel se sent près de perdre connaissance. Un fourmillement parcourt sa mâchoire. Du fond de son corps, un mouvement se précise, un mouvement de pompe, de siphon qui cherche à expulser la nourriture de son estomac. Jusqu'à ce que Pavel vomisse dans un coin de la plate-bande. La nourriture repasse dans sa bouche, grumeleuse, pleine. Il se vide comme un animal et les gens qui étouffent sous le soleil et les pots d'échappement détournent la tête. Seule la femme au t-shirt bariolé s'approche et lui jette un peu d'eau au visage, des petites gouttes avec la main. Elle lui tend un Kleenex. Une sainte femme. Il tente de se ressaisir. S'être vidé l'apaise. Le malaise puissant qui s'était emparé de lui se dissout. Les pensées insistantes, les formes nauséabondes se sont évanouies et la station est redevenue la station peu aménagée où se pressent les cars de Mykonos dans une fumée grise qui jure avec les murs peints en blanc de toutes les constructions alentour. L'autobus dans lequel est montée la femme qui l'a aidé vient de démarrer. Des gens nouveaux sont arrivés pour prendre d'autres autobus. Pavel rentre chez lui poisseux et malodorant. Le vomi restera sur la plate-bande toute la journée. L'immonde flaque pâteuse s'asséchera rapidement au long du jour sous le soleil impitoyable.

Ils ne feront pas grand-chose de la journée. À l'appartement les autres dorment. Sebastian aussi. La porte de la chambre est ouverte. La fille est visiblement partie. Pavel se douche, enfile un short propre pour dormir enfin au calme sur le canapé.

En soirée, ils ont décidé d'aller faire un tour vers les célèbres moulins à vent. Ils ne sont pas les seuls, même une fois le soleil couché, beaucoup de touristes se promènent du côté de Kato Myli. Les couples sont particulièrement nombreux à s'attarder dans ce lieu ouvert et fortement venté. Ils suivent les chemins de pierres, s'appuient contre les murets, se prennent en photos et se font des promesses en contemplant les gros moulins blancs soigneusement éclairés. Sebastian rit parce qu'il vient d'apercevoir un peu plus loin deux hommes assez âgés qui profitent de la nuit pour se tenir par la main. Ils portent des vêtements de lin clair et des sandales. Chistopher s'amuse à les imiter, il casse ses poignets et se déhanche en regardant avec langueur Sebastian. Ils s'interrompent en croisant un groupe de jeunes femmes grecques, particulièrement jolies, qui jettent un regard interrogateur sur leurs simagrées. Jules trouve la scène absurde. Pavel n'a pas suivi. En bas, le long de la mer, il vient de reconnaître la Petite Venise. Elle apparaît sous un tout autre angle de vue d'ici. En redescendant, ils traversent le parking sauvage qui occupe un des rares terrains vagues du village. On ne sait plus où mettre les voitures. Les innombrables motos sont un problème aussi. Toutes ces carrosseries rutilantes encerclent le petit parc pour enfants aux trois balançoires rouillées. Pavel s'efforce de chasser la pensée qu'il vient d'avoir pour son petit frère. L'imaginer jouer dans un parc aussi triste le trouble.

Ils ont continué de marcher au hasard des petites rues, puis ils sont rentrés pour regarder des films et fumer des cigarettes. Sebastian est ressorti après le premier film. Il avait envie d'aller boire quelques verres dans la nuit perpétuellement agitée de Hora.

Mardi

Pavel est content d'être revenu à Paraga pour leur dernière journée à la plage. Il aurait aussi aimé visiter Panormos, mais c'était trop compliqué de s'y rendre. Au fond, rien de l'apaise autant que nager et ne rien faire couché au soleil. La mer Égée va lui manquer.

Christopher a demandé à Jules de venir jouer au foot avec les jeunes Anglais qui se sont installés entre le parking et le sable. Des Grecs et des Espagnols participent aussi au petit match improvisé. Christopher sait qu'il ne doit pas hésiter à parler pour son ami, parce que même s'il en a envie, Jules est incapable de demander à des inconnus de se joindre à eux. Ce qui ne l'empêche pas d'avoir un drible extraordinaire qui fait toujours son effet. Il peut en plus courir deux heures sans être essoufflé, et puis, rien ne le met de meilleure humeur que de se dégourdir les jambes avec un ballon. En vérité, Christopher n'a jamais compris pourquoi Jules n'avait pas été repêché par un club.

Quand Sebastian vient voir ce que Christopher et Jules fabriquent, il les trouve buvant l'un et l'autre une bière fraîche, entourés d'étrangers très souriants. Une jeune femme tient Jules par le bras, elle termine une histoire qu'il semble écouter vraiment attentivement. Il a le sourire aux lèvres. Entre-temps, le volume de la musique a commencé à augmenter dans les bars de la plage. S'extraire de Paranga ne sera pas facile. Mais pour leur dernière soirée à Mykonos, ils ont décidé d'aller au Fresh, la discothèque dont a parlé le barman du Shismi, Dimitri. Et ils veulent être en forme.

Il est près de minuit et l'île s'apprête à vivre une autre nuit très animée. Pour un endroit si petit, l'affluence à cette heure autour du point de départ des navettes nocturnes pour le Fresh, le Tropicana et le Paradiso a de quoi surprendre. Les filles sont nombreuses dans le minibus. Il y a aussi des garçons comme eux, qui regardent les filles du coin de l'œil. Ils écoutent tous un truc ou un autre avec les écouteurs, par-dessus la house frénétique et sans style du chauffeur.

La nuit, le Fresh Club a une autre allure que sous le soleil, quand Pavel avait vu le bâtiment en plein jour avec Kimon. Il s'étonne de mentir pour éviter de parler du jeune marin, il tient cependant à leur montrer le petit chemin qui mène au promontoire. Il invente avoir lu dans son guide qu'il y a une promenade bien cachée ici, qui donne sur une baie redevenue sauvage. Les trois autres acceptent d'y marcher un peu mais rebroussent chemin presque aussitôt. Ce n'est pas l'heure des balades : le Fresh les attend. Les lettres lumineuses de l'enseigne brillent magnifiquement dans le noir. Devant l'entrée, les gens sont très excités. Même le colosse à la porte, qui active son compteur avec le pouce, sourit, échange avec les clients. En grec, puis en anglais. Pavel lui dit *We are friends with Dimitri, the barman* et il lui donne son nom. L'armoire à glace parle directement dans le micro fixé à son oreillette. Le soleil pris le jour marque la peau des touristes. La plupart des jeunes sont bronzés, quelques-uns ont attrapé de gros coups de soleil. Il y a quelque chose d'électrique dans l'attente des garçons et des filles devant le club. On entend la musique tout autour, mais quand les lourdes portes s'ouvrent, le beat vient plus directement. Ils sont nombreux à fumer, à rire, à parler, à se passer à boire, discrètement, à attendre, à danser.

Le portier a fait signe aux garçons, Dimitri est au grand bar du premier étage, il les attend. À l'intérieur, un corridor éclairé de bleu conduit à un vaste espace ouvert, aménagé sur plusieurs niveaux. On devine au loin les lumières de quelques bateaux. La première piste de danse suit en partie le motif irrégulier d'une très belle piscine, fermée la nuit par des cordons de velours. Dans le fond de l'eau fortement éclairée, le nom du club est incrusté en lettres géantes. Plus loin, trois escaliers mènent à une large mezzanine où se trouvent le DJ, deux autres bars et une seconde piste de danse. Le rythme n'est pas encore extrêmement rapide. La cabine du DJ donne sur la piste centrale.

Plus tôt en soirée, Dimitri a repensé à Pavel. Et quand Yannis est passé tout à l'heure faire son petit tour habituel, vérifier que l'approvisionnement fonctionnait, il a même failli lui demander s'il avait des nouvelles du jeune touriste. Mais Dimitri s'est retenu. Il ne veut pas tout mélanger. Le cynisme féroce de Yannis lui déplaît. Dimitri espérait la venue de Pavel, avait peur d'être déçu, puis il s'est volontairement laissé absorber par le rythme des cocktails et par le beat, presque aussi dense et solide que le rocher sur lequel le club est en partie construit. Pour Dimitri, les touristes qui viennent ici ont du charme. Ils ont aussi une sorte de bonne volonté, de candeur même. Leurs visages sont ouverts, tendus vers la perfection d'intensité que peut atteindre le désir à Mykonos. Ils scintillent comme la boule disco géante accrochée au-dessus de la piste de danse principale. Le visage du jeune Pavel encore bien plus que tous les autres. Dimitri se sert un petit verre de vodka qu'il boit d'un trait en continuant de préparer les commandes pour les serveurs et les touristes du bar. Ses gestes sont précis, rapides. Avec lui, les touristes sont amicaux, ils lui prennent le bras en commandant, rapprochent leur bouche de son oreille quand ils donnent leur commande. Ils comptent maladroitement l'argent qu'ils ont encore dans leurs poches, dansent et font des mouvements qu'ils ne feraient jamais chez eux. Tout le monde exagère, l'été dans l'île. Dimitri imagine la vie de Pavel chez lui. Être barman à Mykonos durant les mois d'été le place d'emblée dans l'univers de l'exagération, du moins dans une intensité qui n'est pas celle des autres bords de mer. Il est au centre du monde entouré de touristes qui respirent la santé, qui sourient volontiers, mais aussi de touristes au regard mélancolique comme celui de Pavel. Dimitri est à leur service. Et il est sensible à cette fraîcheur dans le regard de ces jeunes hommes et de ces jeunes femmes qui lui paraissent toujours être habités de la naïveté des enfants, qui viennent ici pour s'amuser et qui ne parlent pas un mot de grec. La langue grecque donne accès à un autre univers. Un univers plus complexe et plus souterrain que celui de la plupart des pays d'où viennent les touristes, c'est l'impression qu'il a. La complexité byzantine de certains de ses compatriotes le dérange parfois, même s'il se sent lui aussi façonné par cette profondeur. La cadence des mouvements de Dimitri est vive, il appuie sur le bouton du tonic qui passe dans le tuyau en inox pour compléter les drinks, il verse le contenu du shaker qu'il vient d'agiter avec énergie dans trois verres hauts. Sous l'éclairage somptueux du Fresh, les drinks sont beaux. Il sert des verres de vin aussi et des Corona vraiment fraîches.

En apercevant enfin Pavel du coin de l'œil, Dimitri devient nerveux. Les garçons avancent lentement dans le club immense. Ils sont tous les quatre frappés par la puissance du son et par la foule. Sebastian est allé commander au bar une bouteille de rhum. Il tient à les inviter pour cette dernière soirée. Il appuie ses bras musclés sur le tadelakt blanc du bar. C'est leur dernière nuit à Mykonos et ils veulent profiter de chaque instant. Un autre barman remplace Dimitri le temps qu'il installe ses invités dans une section V.I.P., avec table et banquettes, près de la piste de danse. Dimitri en profite pour glisser à l'oreille de Pavel qu'il est très content de le voir. Les gens regardent les garçons qui viennent d'arriver, essaient de deviner ce qu'ils ont de particulier pour qu'on leur donne la section réservée. Ils les dévisagent un moment en tentant de reconnaître une vedette, ne la reconnaissent pas, et finissent par regarder ailleurs. Ce soir, ils sont tous les quatre au cœur des choses. Jules laisse son regard errer autour de lui, Sebastian aussi. Ils sont comme des rois. Quelques filles continuent de jeter un œil de temps à autre sur les banquettes. Elles veulent voir si on les regarde. Elles vérifient. Peut-être que ce serait tirer le bon numéro : un jeune homme riche.

Sebastian a versé un premier verre de rhum pour chacun et, avec Christopher, ils vont sur la piste. C'est le meilleur endroit pour s'approcher des filles. Ils affichent leurs plus beaux sourires. Sebastian roule des épaules et fait toutes sortes de mouvements synchronisés avec le beat. Christopher est plus sobre. Quand le rythme change assez brusquement, Jules vient les rejoindre. À côté des autres danseurs autour de lui, il est vraiment grand et il se tient droit, ce qui le fait paraître plus grand encore. Il suit le rythme de manière légèrement ridicule, avec le menton. À trois, il est souvent plus aisé de lier connaissance avec des gens sur une piste de danse. Ils s'amusent. Une très jolie blonde aux yeux intelligents vient danser au milieu d'eux pour impressionner les filles qui sont avec elle. Elle est russe.

Pavel est seul depuis un moment sur la banquette et Dimitri en a profité pour revenir le voir un peu. Lui demander si ça lui plaît, Mykonos. La musique est trop forte pour se parler davantage. On se répète trois fois les mêmes choses. Sur la piste, les garçons dansent très sérieusement autour de la fille russe durant un long moment, jusqu'à ce qu'elle reparte et qu'ils aient de nouveau très soif. Ils reverront la fille plus tard. De loin, Jules lui envoie la main, elle répond avec un sourire. Une musique plus lente, plus douce, une curieuse variation de tempo annonce le set du nouveau DJ aux platines. Sebastian ressert tout le monde. Ils s'amusent vraiment. L'alcool leur donne une énergie décuplée. Jules demande à Pavel comment il trouve la Russe. Il la trouve super belle bien sûr. Ce soir, Pavel aime vraiment ses amis, c'est ce qu'il se dit. Il se sent porté lui aussi par la magie électrique de l'endroit, par la fréquence du beat qui a recommencé à augmenter et par le sourire des filles et des garçons du Fresh. Jules a passé affectueusement un bras autour des épaules de Pavel. Christopher chante un refrain qu'il vient de reconnaître, personne ne l'entend dans le vacarme, on ne voit que des bouches, des regards et des expressions appuyées. Sebastian suit le rythme les bras en l'air et ils rient tous d'être aussi heureux devant la table de bois, la bouteille, leurs verres, le seau à glace, et les quatre coupes de vin mousseux que Dimitri vient de leur apporter avec un sourire.

Un peu plus tard, dans les sous-sols du club, les toilettes des dames sont bondées. Les filles occupent longuement les cabinets en état de marche, où elles s'enferment en mettant le loquet. D'autres filles se recoiffent devant les miroirs en attendant leur tour. Quelques cuvettes sont bouchées et le sol est maculé d'urine, d'eau et de papier. Comme dans toutes les toilettes de l'île, des affichettes indiquent qu'il ne faut pas jeter le papier dans la cuvette et une petite poubelle à côté de cette dernière déborde. Certaines filles sont franchement détestables. En général, ce sont celles qui, visage fermé, lavent leurs mains le plus frénétiquement possible. Les filles sourient davantage avec les garçons. On entre au compte-gouttes dans les toilettes des dames tellement les filles sont nombreuses et peu pressées. Il faut attendre dehors, dans la queue chaotique. Juste à côté, les toilettes des messieurs restent presque vides. La plupart des garçons passent rapidement aux urinoirs et ne se lavent pas les mains en partant. Au fond de la pièce, deux cabinets fermés accueillent parfois des garçons qui se font des lignes. À côté des toilettes, une troisième porte avec l'écriteau *Restricted area – Staff only* cloué dessus donne sur une salle spacieuse.

Une quinzaine de casiers, une douche, des toilettes, un frigo et des canapés placés devant de grandes tables basses sont mis à disposition des employés. C'est là que Dimitri emmène Pavel, qui cherchait les toilettes. Cette salle est plus agréable que les urinoirs à côté. Pavel est assez d'accord. À côté du seau à champagne, il reste des flûtes qui n'ont pas été encore ramassées. Certaines sont à demi pleines. La bouteille est à l'envers dans le seau. Ceux qui ont bu le champagne ont aussi utilisé un des verres comme cendrier. Le liquide est brunâtre et les mégots flottent. Contre le mur de droite, un grand miroir réfléchit le siège de barbier qui a été installé devant lui. Dimitri a refermé la porte à clé, *If not, the tourists will keep trying to come in. They're all drunk.* Et puis il dit autre chose que Pavel ne comprend pas. Il raconte que c'est le DJ qui vient de commencer son set qui était là tout à l'heure avec des amis. Dimitri parle beaucoup mieux anglais que Pavel, et ce dernier lui demande tantôt de ralentir le débit, tantôt de répéter. Dans l'île, les DJ sont de véritables stars. Toutes les boîtes les veulent. Ils viennent ici avec des filles ou des garçons et s'amusent. Il dit cela avec un sourire lointain, il a allumé un joint qu'il tend à Pavel. De l'autre côté de la porte, quelqu'un essaie de tourner la poignée, puis repart. La langue ne facilite pas leur conversation, qui retombe sans arrêt, et encore plus quand Pavel tire sur le joint trop fort. Parce que rapidement, il ne sait plus ce qu'il doit faire ni ce qu'il doit dire. Dans le bruit furieux du club, même ici dans la salle où le beat est assourdi par des panneaux coupe-son, la vibration dans les murs reste forte, Pavel a l'impression d'être devenu muet. Dimitri s'inquiète de son invité, subitement livide. Il lui conseille de se mettre de l'eau dans le visage. Et c'est vrai que tout de suite, ça va mieux. Pavel reprend des couleurs. Il boit le Coke glacé que lui donne Dimitri. *I think I've drinked too much alcohol. But now I'm fine, I'm all right, no problem.* Des dizaines de photos souvenirs petites et grandes ornent les murs en désordre. Des garçons et des filles qui sourient, toujours dans la même pose, bras dessus bras dessous. Quand ils sont un peu célèbres, les gens ont autographié leurs photos. Une image se distingue particulièrement du lot de visages lisses, bronzés, et de ces hordes de silhouettes en bermuda, en jupe, en bikini, en string. Pavel a reconnu le visage de Jackie O. Il dit qu'il l'aime beaucoup. La photo a été prise au club il y a très longtemps. Avant leur naissance.

Le réel se déploie comme un grand labyrinthe même hors du tracé de Hora et Dimitri tente d'emprunter le bon chemin pour arriver à Pavel. Il faudrait qu'il remonte travailler aussi, ils ne sont que cinq barmans en haut. À partir de deux heures, il y aura des barmans supplémentaires pour qu'ils puissent souffler un peu. Il prendra une pause plus tard. S'il veut être correct avec les autres, il lui reste très peu de temps pour progresser sur le chemin sinueux qui mène à Pavel. Il voudrait tellement s'approcher davantage de lui. La voie de Jackie O permet peut-être d'avancer. Pavel a l'air si pur. Dimitri dit *She was so pure*. À la porte, quelqu'un essaie à nouveau d'ouvrir. *From now on, we do not have a lot of time, Pavel*. En disant *We should go upstairs now*, Dimitri a ouvert sa main sur une petite bouteille de poppers. *Do you want this before we go. Have you ever tried it? It stay for one minute only, it's not strong and it's fun*. Faire cette proposition, un peu décalée, a peut-être fait perdre un instant la tête à Dimitri, qui pose délicatement sa bouche dans le cou de Pavel et son autre main sur la hanche du jeune homme, qui le repousse brutalement et crie *Qu'est-ce que tu fais là?*

Dimitri a immédiatement regretté de s'être avancé à découvert comme ça. Il aurait dû attendre encore. Il lui demande de l'excuser. Il dit que depuis qu'il l'a vu l'autre jour, il pense sans arrêt à lui. Que ça lui embrouille la vue. Enfin, il avait bien dû le remarquer. Il dit qu'il en voit des touristes défiler dans l'île et que ça ne lui arrive jamais d'être bouleversé comme ça. Mais Pavel ne veut rien entendre, il claque la porte.

En haut, de retour à leur table, Pavel a avalé deux verres avant d'ouvrir la bouche. La bouteille sera bientôt vide. Christopher est écrasé avec Pavel sur la banquette, il a le regard vague. C'est l'alcool qui pousse peu à peu Pavel à raconter. Il décrit l'attitude de Dimitri en bas, dans la pièce insonorisée, il en rajoute même. Il exagère l'insistance de Dimitri, caricature, parle d'une forme d'arrogance. Christopher sort de sa torpeur au récit de Pavel, il dit qu'il est avec lui, que ce n'est pas normal. Il grimace et lance *C'est dégueulasse!* Christopher ajoute qu'il faut confronter Dimitri, qu'il faut lui parler. L'éclairage du Fresh est devenu un stroboscope géant. Ils se resservent un autre verre et finissent la bouteille.

Dehors, les gens fument. Les rythmes sont assourdis en un bourdonnement puissant et bizarre. À grands pas, Jules vient vers eux. Il ne les trouvait plus. Ils ont tous beaucoup bu. Dimitri a passé la ligne, c'est ce qu'ils se répètent depuis quelques minutes et c'est ce que Christopher résume à Jules. Dimitri pensait qu'en les chouchoutant, il pourrait en faire ce qu'il voulait, c'est ce qu'ils se disent. Il cache bien son jeu. Mais eux sont des hommes.

Même Pavel est un homme. Il se surprend d'être très heureux de ça cette nuit. Il croyait quoi, Dimitri ? Qu'il aimerait se faire caresser par un autre homme ? Pavel s'est éloigné de l'entrée, il se dirige vers les canisses pour pisser, l'éclairage y est moins fort que sur le parking, où trois hommes passablement éméchés repartent avec leur quatre-roues. Christopher l'accompagne. Leur urine coule sur l'herbe jaunie et éclabousse tout autour la terre sèche, tellement sèche qu'elle empêche durant un instant le liquide de pénétrer. Christopher dit qu'il va parler à Dimitri, il est sûr que ce n'est pas un méchant gars, mais ils doivent mettre des limites. Ils ne vont pas se laisser faire. Il faut lui parler cette nuit, il faut que Dimitri sache qu'il ne peut pas tout faire. Pavel titube légèrement en revenant vers le gravier. Christopher lui donne

l'accolade, lui répète qu'il n'est pas seul et dit encore
On est là !

L'alcool introduit des accents lyriques dans tout
ce qu'ils disent. Il est trois heures du matin passé
et les gens s'affairent à des choses incohérentes. À
l'intérieur, Sebastian est sûr d'avoir vu une fille sen-
suelle qui lui jetait des regards, à la suite de quoi le
Grec qui est avec elle s'est approché et a menacé de
lui dévisser la tête s'il regardait à nouveau sa copine.
Le Grec l'a carrément effrayé. Il préfère s'éloigner,
changer de piste de danse. Et bon, peut-être que la
fille s'arrangera pour le retrouver un peu plus tard. Il
aime la musique. Au centre de la piste électrique, les
enceintes font vibrer son plexus, il ferme les yeux, suit
le rythme, est heureux comme les inconnus autour de
lui qui bougent. L'éclairage magnifie le réel et donne
de l'ampleur aux mouvements. Un danseur particulièrement charpenté le bouscule en sortant de la piste,
et Sebastian se retrouve au milieu d'un groupe de
filles très apprêtées. Elles tiennent leur verre et leur sac
en dansant. Il pense à leur chatte et sent la poitrine de
la fille derrière lui. Elles rient. Le DJ a momentanément éteint l'éclairage et les gens continuent toujours
de danser, avec autant d'énergie. Quand Christopher
vient le chercher sur la piste, les stroboscopes ont

recommencé à palpiter dans tous les sens, tandis que Sebastian s'extrait de la foule.

À l'extérieur, ils sont trop contents de se retrouver tous les quatre. Pavel tient une grande bouteille d'eau fraîche, sortie d'on ne sait où. Leurs accolades sont pleines d'effusion. Christopher garde sa cigarette à la bouche pendant qu'il tend son paquet au jeune Italien qui vient de lui en demander une. Sebastian a eu très chaud sur la piste. Ses cheveux courts sont trempés. Son t-shirt mauve aussi. Christopher raconte de nouveau ce que Dimitri a fait à Pavel et redit qu'ils doivent lui parler. Ils passent une bonne soirée, mais ce que Dimitri a fait est inacceptable, ils doivent le lui faire comprendre. Sebastian est tout à fait d'accord, il renchérit. Il ne doit pas s'essayer avec n'importe qui. Si ça se trouve, il s'essaie avec des plus jeunes même, des mineurs. Jules n'a jamais vu Pavel aussi ivre. Les lasers verts et bleus tracent des lignes sur le gravier quand les portes s'ouvrent. Au fond, on ne sait pas tout à fait si Pavel rit ou s'il est sérieux quand il parle de Dimitri, mais ils sont sûrs qu'il n'invente pas l'histoire de l'attouchement, il n'invente jamais. Pour discuter au calme et mettre les choses au clair, ils vont demander à Dimitri de venir avec eux un peu à l'écart sur le petit chemin. Jules et Christopher sont retournés le chercher à l'intérieur. Dimitri a dit oui, qu'il les rejoindrait dehors dans une dizaine de minutes.

Au milieu d'eux, Dimitri paraît encore plus petit. Il est venu pour Pavel, pour le revoir, même s'il se tient à distance de lui après ce qui s'est passé. À la dérobée, il le regarde. Il sait qu'il y a quelque chose entre lui et Pavel. Il ne saurait l'expliquer, mais ça n'a rien à voir avec être gai ou pas. C'est une sorte de rythme. On entend la musique de l'intérieur monter vers le ciel. Sous leurs baskets, le gravier est bruyant. Mais il y a un rythme, au moins à l'intérieur de Pavel, qui est le même que le sien. Dimitri trouve son visage dur. Sûrement à cause de ce qui s'est passé tout à l'heure. Pavel a beaucoup bu aussi, ça se voit. Dimitri reste loin de lui en marchant avec eux quatre, il ne veut pas l'embarrasser. Déjà tout à l'heure, ça a été si compliqué. Il parle à Jules, il lui pose des questions pour avoir l'air normal, attentif. Marcher presque dix minutes pour aller fumer une cigarette au bord de la mer, il n'y a que les touristes pour lui proposer ça. Mais Dimitri aime cet endroit où ils vont, au bout du petit chemin. Les gens de l'île connaissent la falaise et les endroits pour se baigner autour. Pour lui, cet endroit a une signification particulière. Il y a longtemps, c'est là qu'il a embrassé pour la première fois un garçon. Surtout, l'idée lui plaît d'y aller avec Pavel, même s'il y a les autres. Ils évitent de se regarder. Des broussailles bordent le petit chemin et laissent le ciel à découvert. Le terrain vallonné empêche qu'on voie la mer en continu, elle est pourtant juste là, au bout. Sebastian se demande pourquoi ils vont si loin. Christopher dit qu'ils vont au promontoire dont a parlé Pavel en arrivant. Ils seront plus à l'aise. Dimitri confirme qu'ils y sont presque, il ne reste qu'une dernière courbe. Jules n'est pas trop à l'aise, il suit quand même, continue de parler à Dimitri, alors que ni l'un ni l'autre ne se préoccupe de la conversation. Au bout du chemin, il y a de l'air. Le promontoire est large. Quelques bateaux de croisière glissent doucement au loin sur l'eau. Pavel et Jules s'assoient sur de grosses pierres du promontoire, mais les autres restent debout. Christopher dit à Dimitri qu'ils veulent lui parler parce qu'il s'est passé un truc bizarre plus tôt. Ils ne comprennent pas pourquoi il a enfermé Pavel dans la salle en bas. Dimitri sort un paquet de cigarettes qu'il tend à la ronde, les autres refusent. Il bredouille une explication sur les touristes qui boivent trop, qui essaient d'entrer partout. L'ambiance est subitement lourde. Pavel finit par tendre la main pour une cigarette. Il y a quelque chose d'étrange dans le fait qu'il ne participe pas du tout à la conversation. S'en exclut, alors que son nom est prononcé sans arrêt. Avec son briquet, Christopher allume la cigarette de Pavel. Il fait la même chose avec celle de Dimitri. Le barman est tendu maintenant. Comme s'il venait à peine de comprendre que le moment est grave et même potentiellement dangereux pour lui. Il n'a pas peur de Pavel, mais les autres ont beau être proprets, ils ne sont pas si clairs finalement. En vérité, jusqu'ici Dimitri n'avait pas vraiment regardé les amis de Pavel. Ils ont d'étranges expressions. Il aurait davantage remarqué leur agressivité sur le petit chemin s'il avait pu imaginer que des touristes puissent représenter une menace. Ces jeunes hommes veulent discuter. Ils aimeraient mettre son désir dans un tout petit enclos.

Pavel a les yeux fixés vers l'horizon noir. La cigarette lui donne mal au cœur. La discussion piétine, rien ne se passe. Pavel tente un instant de se relever, avant de renoncer. Il ne veut pas croiser le regard du barman. Le mouvement des vagues qui se brisent sur les rochers tout en bas n'est qu'une rumeur. Toutes les pensées sont engluées dans l'alcool. Le vent léger qui vient de la mer ne leur rafraîchit pas l'esprit. Dimitri, lui, ne se sent plus ivre, et l'effet de l'herbe a disparu depuis un moment. Les touristes si doux, les étrangers toujours enthousiastes ont une nouvelle allure cette nuit. Le barman aimerait retourner au club à présent, il dit *I must go now, I'm working* et fait entendre un rire faux. *Wait a minute*, l'interrompt Christopher, *I didn't hear anything of you. We were supposed to talk about your attitude.* Pavel et Jules sont restés en retrait alors que Christopher et Sebastian s'avancent tous les deux un peu plus, en même temps que le ton monte. Christopher se maîtrise néanmoins, il est calme, plus stable et plus fort psychologiquement que les autres. Sebastian est juste à côté. Il laisse pour le moment Christopher s'adresser à Dimitri. Il lui dit qu'il ne comprend pas son attitude, ni pourquoi il a agi comme ça avec Pavel. Il dit que s'il recommence, il aura affaire à lui. Sebastian est plus impulsif, plus hargneux. Il se chargera de faire comprendre à Dimitri deux ou trois choses, si Christopher n'y arrive pas. Le promontoire est grand. Sans s'en rendre tout à fait compte, ils se sont peu à peu avancés vers la falaise. Personne ne veut avoir l'air d'en avoir peur. Dos au gouffre, le barman paraît frêle. Il n'a rien d'arrogant quand il parle de Pavel, il dit que c'est un malentendu, qu'il regrette, qu'il avait trop bu, que oui, c'est évident que Pavel n'est pas intéressé. Dimitri vibre secrètement de pouvoir protéger Pavel, d'avoir l'occasion de s'accuser, lui, pour mieux préserver Pavel, pour mieux le maintenir hors de tout soupçon devant ces jeunes chiens. La suite de la scène se déroule à toute vitesse. Trop vite pour Christopher, Jules et Pavel, qui n'ont pas le temps de comprendre ce qui se passe quand Sebastian se rapproche brusquement de Dimitri pour le pousser, pas très fort au début, et lui hurler au visage qu'il ne le croit pas, qu'il sait que tout ce qui l'intéresse c'est de sucer des queues et de les prendre dans son cul, d'en prendre le plus possible dans son cul. Et, alors que Christopher cherche à s'interposer sur le promontoire, Sebastian, l'œil hagard, continue de vociférer, s'avance encore, comme galvanisé par lui-même, n'entend plus rien et pousse plus fort cette fois Dimitri, qui trébuche sur une pierre, tente de se rattraper, de rester debout sur le sol friable, perd pied sur une autre pierre, glisse et tombe à la renverse dans le vide, en criant, un long cri qui s'interrompt au bout de sa chute, quand son corps heurte mortellement les rochers.

Sur le promontoire, les autres retiennent leur souffle. On entend de nouveau la rumeur des vagues sur les rochers. Ils tendent l'oreille, restent immobiles, figés, tout en haut de la falaise, durant plusieurs minutes. Peut-être qu'on entend les cœurs battre, mais la voix de Sebastian rompt le silence. Il dit n'importe quoi, qu'il ne voulait pas que Dimitri finisse par les embarquer tous dans son jeu. Il dit *J'ai jamais pensé qu'il tomberait d'un coup comme ça.* Le choc nerveux empêche les autres de lui demander de se la fermer. Surtout, ils ne savent pas quoi faire maintenant. Ils voudraient que Sebastian disparaisse. Qu'il se taise au moins. Ils sont perdus. La voix de Christopher est éteinte quand il dit qu'il faut partir avant que quelqu'un les voie ici. Jules a le regard totalement vide. Pavel voudrait descendre près du corps. Il n'en a pas le courage.

Ils ont repris le chemin par lequel ils étaient venus. Christopher parle bas, il se parle pour se calmer, pour pouvoir faire face aux prochaines heures, il répète pour lui-même que Sebastian est vraiment malade, jusqu'à ce qu'il dise, un peu plus fort cette fois, *Ce serait plus prudent d'éviter le club. Si on veut avoir une chance de prendre le bateau demain après-midi pour rentrer chez nous, personne ne doit plus nous voir.* Il a failli en venir aux mains avec Sebastian quand il lui a ordonné de rentrer de son côté à l'appartement en évitant le Fresh. Jusqu'à ce que, sans rien dire et sans se retourner, Sebastian parte, les mains enfoncées dans son jean, en direction de la discothèque.

Ils sont soulagés malgré tout qu'il ne soit plus avec eux. Tous les trois hésitent sur la conduite à tenir. Jules se demande s'il ne faudrait pas avertir la police, peut-être que Dimitri n'est pas mort. Pavel dit que ce n'est pas possible malheureusement. Tout est en roc, d'une hauteur considérable, et il n'y a pas d'arbres pour amortir la chute. Ils parlent bas et contournent les alentours éclairés du club pour parvenir à la route étroite qu'empruntent les fêtards. L'autobus vient de passer. On leur dit les choses habituelles : *Where are you from ? Hey, don't be sad*. Des bouteilles circulent. Pavel boit une très grande rasade de la bouteille qu'on lui a tendue. Ils sont silencieux à présent, s'efforcent de faire le strict minimum de manière à ce qu'on ne se souvienne pas d'eux. Ils dépassent des Anglais qui écoutent de la musique en marchant avec une enceinte miniature. Christopher veut arriver à tout prix avant le lever du jour. Ils n'ont pas sommeil et marchent comme des morts-vivants interdits de repos éternel.

Dans le club, rien n'a changé depuis son départ, sinon que la foule est encore plus compacte et, bien que ce soit impossible, Sebastian a l'impression qu'il peut presque apercevoir Dimitri encore derrière le bar. Il trouve quand même plus sage et plus prudent

de se commander un verre à l'étage, au bar de la mezzanine géante, loin de l'absence de Dimitri. L'autre
piste là-haut est bien aussi. Appuyés au comptoir,
de jeunes touristes boivent, l'un d'eux l'apostrophe,
il lui demande s'il est grec. Puis, *You came alone?*
Sebastian se réfugie au centre de la piste avec son
verre pour être tranquille. Il y a beaucoup de filles qui
dansent. Sebastian aime se laisser guider par le beat,
par les effets de la musique, par la texture du son. Il
boit son verre au milieu de la foule. La falaise semble
loin, puis proche. Et à nouveau loin, alors que le beat
puissant du Fresh augmente, domine les sons complexes, les voix et les mélodies contradictoires, alors
que le beat hypnotise les danseurs, le hurlement de
Dimitri remonte un instant aux oreilles de Sebastian,
qui termine son verre, l'abandonne sur les enceintes
géantes avant de retourner au centre de la piste pour
danser encore, ébloui par l'éclairage dramatique. La
fille qui avait couché avec Christopher l'autre soir
vient à sa rencontre. Ils sont heureux de se retrouver.
Ils échangent trois questions, écourtent les réponses,
rient et dansent maintenant tous les deux au milieu
de la foule.

Mercredi

Il fait chaud à l'intérieur de l'appartement. Ils ont marché longtemps, ils auraient pu faire le tour de l'île parce que le rythme de la marche a fini par les apaiser un peu. Ils ont marché comme des automates, la falaise disparaissait sous leurs pas. Mais dans l'appartement, l'horreur de ce qui vient d'arriver remonte. Ils n'ont pas ouvert les fenêtres parce qu'ils n'y ont pas pensé, pour la même raison, ils n'ont pas allumé la clim. Pavel fume assis par terre contre le mur, l'air hébété. La sueur mouille son t-shirt et ses tempes. Christopher a les idées plus claires. Il les classe tout en fumant lui aussi. Ils doivent prendre le bateau comme prévu. Et ne plus parler de tout ça, à personne.

Jules est effondré. Il sait qu'il doit se ressaisir pour qu'ils aient au moins une chance de rentrer chez eux, de retrouver leur pays, leur ville. Il tente de rassembler ses forces. De ne plus penser au hurlement du barman.

L'image de sa mère l'envahit depuis un moment, elle s'est substituée au cri. Il ne parvient pas à s'apaiser, même momentanément. Il est à la limite du délire. Pavel a le visage défait. Il se lève péniblement, la porte des toilettes claque derrière lui. Ils s'inquiètent à présent de ce que Sebastian ne soit pas encore rentré. Jules se demande s'il doit espérer son arrestation ou non, et finit par conclure qu'il serait préférable que la police n'ait pas arrêté Sebastian cette nuit. C'est lui le meurtrier, mais s'il est arrêté, l'interrogatoire sera long, très long, pour eux aussi. Et que dira Sebastian ? On étouffe dans l'appartement, dehors le jour se lève. Christopher prononce les dernières syllabes de sa courte phrase – *il est imprévisible* – quand Sebastian entre bruyamment dans l'appartement en disant que ça pue, qu'on étouffe. Il ouvre les fenêtres, toutes les fenêtres, tente d'ouvrir la porte des toilettes, cogne, *Pavel! Ouvre!* Il cogne plus fort, *Ouvre!* Lentement, la porte s'entrouvre. Pavel croise Sebastian sans le regarder. Sebastian dit encore que ça pue, que ça pue encore plus ici. Il installe son téléphone sur le rebord de la fenêtre, met la fonction haut-parleur pour entendre sa musique et ouvre la minuscule fenêtre des toilettes qui donne sur une cour intérieure étroite et profonde, où passent tous les tuyaux d'évacuation des maisons. Sous la douche, couvert de savon et le visage près de la fenêtre, il supporte mieux l'odeur. Il a hâte d'être chez lui maintenant pour ne plus voir les trois autres. Avec la musique et la douche, il ne les entend pas. Il se sent bien, parce que c'était chaud avec Judy tout à l'heure. Il refait défiler les images de la fille dans sa tête. Une bête qui en voulait. Sebastian n'avait jamais couché avec une fille comme ça. Il a l'impression d'avoir couché avec un animal. Il se sent fort sous la douche. L'eau coule sur son torse. Il guide ses pensées vers la fille encore. Elle l'a ramené en scooter. Il a vraiment passé un bon moment avec elle, sans les autres. Un moment exceptionnel. Il est trop tard pour laisser dériver ses pensées vers le promontoire et sa falaise, trop tard pour regretter l'accident.

Ils ont tous les quatre fait leur sac. Christopher a rangé l'appartement avec Sebastian. Puis ils sont sortis. Ensemble. En échangeant le moins de mots possible. Leur cœur bat fort.

Si quelqu'un prenait une photo d'eux maintenant, elle serait surexposée à cause du soleil, comme toujours l'été sous le ciel grec. Ils ne souriraient pas. Sebastian peut-être. Leur peau bronzée dissimulerait la nuit blanche. La photo ne montrerait pas la chaleur définitive, elle ne montrerait pas la chaleur malgré le vent soutenu, elle montrerait la lumière trop forte et le blanchissement des images qu'elle occasionne.

ROMANS PARUS CHEZ HÉLIOTROPE

SÉRIE « K »

GWENAËLLE AUBRY
*Lazare mon amour. Avec Sylvia
  Plath*

ANNE-RENÉE CAILLÉ
L'embaumeur

COLLECTIF
Printemps spécial

CAROLE DAVID
Hollandia

MARTINE DELVAUX
*Le monde est à toi
Nan Goldin*

CYNTHIA GIRARD
J'ai percé un trou dans ma tête

THIERRY HENTSCH
La mer, la limite

MATHIEU LEROUX
Dans la cage

MICHÈLE LESBRE
Un lac immense et blanc

CATHERINE MAVRIKAKIS
*Diamanda Galás
L'éternité en accéléré
Omaha Beach*

ALICE MICHAUD-LAPOINTE
Titre de transport

SIMON PAQUET
Généralités singulières

HÉLIOTROPE NOIR

ÉRIC FORBES
Amqui

ISABELLE GAGNON
Du sang sur ses lèvres

JONATHAN GAUDET
La piscine

CHRISTIAN GIGUÈRE
La disparition de Kat Vandale

PATRICE LESSARD
*La danse de l'ours
Excellence Poulet*

ANDRÉ MAROIS
Bienvenue à Meurtreville

MAUREEN MARTINEAU
Une église pour les oiseaux

MARIE SAUR
Les Tricoteuses

MARIE-ÈVE SÉVIGNY
Sans terre